混迷の世を生き抜くための哲学

四方一愒
Ikkei Yomo

JN082145

はじめに

　現代は混迷した世界になったと言われる。マスメディアの発達やスマホの普及がさらに混乱を加速させ、考えられない程たくさんの情報が飛び交うようになった。意識する、しないは別にして、情報の洪水の中に人々は否応なしに巻き込まれる。しかも夥しいこれらの情報が本当に正しいのかどうかも分からない。どれを選んだらいいのか、あるいは、どれを信じていいのかも解りにくいことから、これらの情報をどのようにして捉えて処理し、どのように世の中を見て行ったらいいのかに迷いが生じやすい。こうしたコトが誰にも起きるのが現代ではないだろうか。

　例えばウクライナへのプーチンの侵略。これについては数え切れない程の情報が毎日のように発信されている。曰く、プーチンは大ロシアの観念に取り憑かれたからだとか、ロシアに迫るような拡張をＮＡＴＯが示して、以前はソ連圏だった東欧までを仲間に入れたことにプーチンが反発したからだとか、プーチンは病気で頭がおかしくなったとかの様々な言われ方をしていて、情報の氾濫(はんらん)の中で右往左往させられるコトが一度ならずおありではないだろうか。

どうしてこのように混迷した状況になったのか。その要因にはもちろん情報過剰が挙げられるものの、もっとも重要な点として、これらを整理する基本となる概念が消えてしまったことが拍車を掛けていないだろうか。少なくとも、二十世紀はイデオロギーが信じられて政治に応用されたことで、政治世界が見やすくて整理が出来る時代だったと言える。

典型例が米ソ対立である。資本主義と共産主義のイデオロギーの違いがあることから、両者は明確に区別が出来た。この対立は一九九一年のソ連崩壊による共産主義敗北で終焉(しゅうえん)を迎えたが、そこから変わったはずのロシアが共産主義に似た権威主義体制に再び戻り、ウクライナ侵略といった覇権を求める事態にまでなった。確かに形式的には選挙でリーダーは選ばれるが、他党を認めない等で政権党以外に殆(ほとん)ど力がなく、一党独裁と全く同じく内情は不明確になっていて、何が起きているのかが分かりにくい。

中国は中国で未だ共産主義を標榜(ひょうぼう)している国である。かなりの数の別の党があると公式に発表してはいるものの、形式的に存在するだけで実質的には一党独裁政権であって、他の政党の意見を認めない。このやり方はイデオロギーを主に掲げたソ連が失敗して潰れたことを中国は考慮していると言われているが、共産党以外の党には何の力がないのも事実だ。

中国のような一党独裁国となれば、どうしても異なった意見を取り入れることはせず、他党の考えは排除するようになり、硬直化した独裁政府になる。結局、中国は上手く機能しなくなっているこの体制を未だ維持している。実際にこの体制を続けるに際しては、色々な理屈が付けられている。その一つとして、大きな領土を持つ中国を統治するには強力な政権を必要とするという論理がそれになる。それとソ連共産主義が経済で行き詰まった結果、貧しさが致命傷になったのを教訓にして、共産主義のイデオロギーを掲げて降ろさないままに自由経済での貿易を推進し、グローバル経済での貿易の果実だけを得ようと画策しているのが現状なのだ。

確かに中国は市場経済を部分的に取り入れているものの、資本主義と共産主義とは結局は相容れないというごく当たり前の事態に遭遇している。というのも、貿易を主とした市場経済は自由競争が主になるが、共産主義は統制経済なので、全てを国が管理しようとする。国有会社に巨額の助成金を与えるだけでなく、安い賃金で働く多くの労働者を使って、商品をごく安価に作っては他国へ売って成長してきた。しかし今は労働者賃金が高騰しただけでなく、経済成長にも先止まり感が出るという問題が起きている。しかも中国政府の気に入らないことをすれば、中国国内で会社を経営していて中国人を大量に雇っている海外の企業人であろうと、すぐに逮捕してしまう。事実上、共産主義は平等を掲げて政府がすべてをコントロールしようとすることから、市場経済の自由主義とは元々が相容れない。深刻な齟齬が生じているのだ。

確かに鄧小平が市場経済を取り入れて一時的に発展しはしたが、テンセントやアリババのような民間企業の力が強大になり過ぎて政府の言うコトを聞かなくなるのを怖がった習近平が、元の共産主義理論に戻そうと市場経済の行き過ぎを制御しだした。まさに中国政府の政策は自由市場を統制する姿勢を前面に打ち出したことで、自由経済とは相容れなくなり、忽ち中国経済は機能しなくなった。

共産主義理論が平等を旨とするイデオロギーであることで、自由を標榜する市場経済とはトレードオフに近くて、相容れないとまでは言わないにしても、両方を機能させるのは事実上、不可能に近い。

確かに世の中を良くするには、平等とは行かなくても、人々の生活が良くなって格差がなくなるのが理想である。しかしこの実行は難しくて、未だ何処の国でも上手く行った試しがない。マルクス主義を新たに解釈し直して、それを適用すれば新たな平等社会が構築出来ると言う人もいるが、マルクス主義を基本にすればどうしても労働者主体の大きな政府での統制を強く打ち出すしか他にやりようがなくなる。それには一党独裁でないと上手く機能しない。これでは自由競争が育ちはしなくなるのだ。

もし自由と平等を上手く機能させたいと思うなら、老子の理論のように小国寡民（かみん）の考えでないと出来ないだろう。しかし現代のような激しい対立と競争に明け暮れる世界では、このやり方では生き残っていけないのは火を見るよりも明らかだ。というのも、小国になれば経済は小さくなり、無論、防衛力も弱いものしか持てない。現代においては大国に経済的な圧力を加えられたり、また侵略されたりしたら、たちまち滅びてしまう。

自由と平等を両立させたいと望むなら、無政府主義に近いこの老子の小国寡民の思想しかないだろう。しかし現代のような激しい対立が日々生まれている世界ではとてもやって行けない。遠い未来にはこの小国寡民の思想が生かされる時代が来るかもしれないが、それは世界が平和であって、いがみ合いがないことを前提にしないと成立しない。地球家族と言ったような状況が成立すれば、小国寡民が可能な世界が来るかもしれないが、少なくとも近い将来では無理であろう。

この小国寡民の思想が何で理想かというと、本論で触れるように人は元々、恣意性を持つ生き物であるからだ。他の生き物と違いそれぞれが己の意思を持っているので、集団を形成して上手く機能させたくても、その調整が難しくなる。事実、自由と平等を並立させるには、為政者達がその集団の一人一人の顔や性格や能力を直接に見知っていて、初めて可能になるくらいのものだ。

先ほど言ったように、人は恣意性から己のしたいことをしようとするので、それを調整するには、一人一人のことをよく知っている状態で扱う必要があって、人々の顔が見える距離の交流を根底にしないと難しくなる。つまり、集団の秩序を得るには、それぞれの人の恣意性から来る恣意的な行為と集団との調整をつけなくてはやって行けない。

この調整をするには為政者が一人一人のことを知悉していなくては成り立たない。リーダーが集団の中の皆のことをよく知っていて、なお且つ人々がお互いのことを理解し合って助け合う温かな交流が基礎にあれば、個と集団の齟齬も生じないものの、こうした政治思想は理想論に過ぎず、今の所、実現は不可能だと思われるものでしかない。

しかし、この小国寡民の思想を不完全ながら何とか機能させていたのが、実は日本の村システムであったのだ。これは驚くべきことではあるが、当然のこと、完成形ではなかった。それに近い形で運営されてはいたが、村の中での生活が硬直化した結果としての窮屈さがあったのも確かだ。小さな集団なのでそんなに個々の村に力はなかったものの、自立していたからこそ維持されて長く続いたのだと言える。

　これには村の成立事情が関わっている。

　というのも、村が出来た当時は戦国時代であった。皮肉なことに、激しい戦いがあることで各々の為政者は戦いのコトで精一杯になっていて、村を作るとか、治めるとかに力を注ぐ暇がなかった。為政者にとって村という集団は、食糧調達と戦いに参加させる雑兵（ぞうひょう）としての資源の供給源としか考えられていなかったのだ。民衆の集団（村）を治めて、あれこれと干渉をするだけの余裕がなく、時にただ力で命令を押し付けるのみであった。しかも戦いに忙しくて経費も要るだけに、村から助けて貰うこともあって、そんなにいつもいつも政治的な押し付けが出来るものではなかった。

　村にしても、こうした村落としての小集団が近くに幾つも出来れば、当然ながら村同士の争いも起きる。そこで他村との諍（いさか）いに巻き込まれた時に備えて、防衛力を高める必要も出てくる。結果として、人々が自らの生活を守るために、武力も含めて作り上げたのが自立した村集団システムだった。村は何とか集団として村人の生活を防衛しようとしたのだが、大きな力があったわけでないのも確かで、大きな権力を持つ為政者の支配下に置かれていた。ただそれも緩いものであって、全てが全て上に従っていたわけでもない。それを端的に示すのが秀吉の刀狩りである。秀吉はそれぞれの村が武装している状態をなくそうとしたが、結局は上手く行かなかった。

即ち、村は集団として基本的に自立していたのだ。村を統治するシステムである司法、立法、行政の三つを自分達で作成して運営していたので、何とか小国寡民の思想が機能していたと言えるであろう。これについては他の著作で書いたので、詳しくは触れない。ただ、この村システムが戦国時代から平和な江戸時代まで続いて機能していたのを見れば、人々の不満が爆発しないような持続可能なシステムであったことが明らかである。

このように村が自立していた証拠として挙げられるのが、江戸時代初期でさえも庶民の識字率がかなり高かったことである。というのは、西欧の宣教師の母国への報告に、日本では庶民レベルでも字が読める人がいるというのに驚いているのが見られるからだ。西欧では庶民は殆ど字が読めなかったことから宣教師たちは大いに驚いたのだ。

では、どうして庶民の識字率が高かったのか。

寺子屋の普及があったからだ。読み書きそろばんが各村の寺で教えられていたという事実があった。しかも、この寺子屋がどうして全国にまで広まったのかには必然性があった。

村が自立していたからだ。統制が取れた徳川幕府になってからでも、藩主からの年貢取り立てに行き過ぎがあった場合には、村として文句を言うためには藩主からの書状を読む必要があったし、それに対して反論するためには算術から来るデータを基にした文書を作成しなくてはならなかった。そうしたことから村人は読み書きそろばんを必要としていたのだ。

こうしたやり取りがあったという記録は、藩とのやり取り書類を村の文書として保存している文書館が全国に散在していて、そこに多く残されていた。それでこの分野に対する歴史研究が始まるや、藩とのやり取り文書が全国の村の文書館でさらに見付かった。

これらは農民が書いた文書であり、国の変遷や統治を司る為政者に注目していた歴史学者が殆どなので、それまでは無視されていた。ところが歴史学者の中にここに注目した人が出て、研究が始まった。そうするや、藩とのやり取りを村がしていたことが明らかになった。無論、村の文書館の文書研究は実は最近というか、二十世紀の終わりから本格的に始まってきたのだが、この研究が驚きの結果を生むことになった。

元々、既述のように寺子屋の普及を背景として、庶民文化は江戸時代の初期から発達していた。庶民の間では連歌を作ることが流行していただけでなく、藩に税金を納めるための算術もかなり発達していた。その証拠となるのが「算額」であって、これらは各地に今も多く残っている。算額とは算術の難しい問題を作成して、この難問を解ける者が誰かいるかと神社や寺に絵馬として奉納して掲げて、挑発していたのだ。当然のこと、その難問を解いたという絵馬もその隣にある。こうした難問を作ったり解いたりした絵馬が全国の神社仏閣に今も多く残っているのだ。

こうしたことは他の先進諸国では見られない現象になる。大体、庶民が算術の難問を解く競争をしていた国など、十七、八世紀当時ではいくら発達していた西欧であっても皆無だった。実際、宣教師たちが驚いてその情報を母国に送っていることにそれはあらわれている。世界的に見ても、この数学を学ぶ裾野の広さこそが、微分積分の基礎となるものにライプニッツよりも少し早く気づいたとされる最初の数学者、関孝和を日本が生んだことにも繋(つな)がるのだ。

以上のように、決して荒唐無稽のモノではない高度な文化を日本の庶民が持っていた証拠は数多く残っているが、このような高い文化文明の発展が成し得た背景を考えると、その基盤となるモノがどうしても必要になる。それは何か。

人々の生活に余裕と自由があることだろう。

この余裕と自由を満たさせていたのが自立した村システムであって、これが支えとなって庶民たちは高度な文化を享受できていたのだ。

このような他国に見られないような庶民文化の発展が日本の大きな特徴であって、それを理解していないと明治維新の革命と言っていいものがなぜ成功したのかが分からなくなる。東洋で日本だけが改革に成功したのは、民度の高さがあったからで、江戸時代末期には日本の識字率は七割を超えていたという試算もある。この当時、イギリスは産業革命に成功して発展していたが、その国であってさえも、識字率は三割ぐらいだったのではないかと言われている。

だからこそ、明治維新は奇跡でも何でもない。これだけ庶民文化のレベルが高かったのなら、むしろ当然の帰結だったといえる。無論、明治人が様々な苦労をしたのは間違いないが、当時の庶民が西欧文化文明をしっかり理解出来ていたのも事実だ。遅れているのは技術領域だけで、それも努力すれば追いつけるものだと見抜ける能力があった。本文でも触れるように、日本の村システムには硬直化した問題が多々あったのも確かだが、基本的にこれが日本の文化文明の発達の下支えとなったのは間違いない。

いずれにしても、人の歴史を紐解いて様々なことを検討するのは重要な試みだ。人類の発展を可能にしたものが何かが解れば、現代の混迷の原因もまた少しは解けるかもしれないからだ。その前段として、人の基本的な部分は何かを知ることが重要になってくるだろう。というのも、基本的なモノというのは物事を考える上で必須であって、これを無視して進めていくと基盤の弱い思考は砂上の楼閣になりかねないからだ。人や人の社会を考える上でこれを欠いたらグチャグチャになるので、先ずは人の基本的なモノは何かを確かめることが必要になる。

我々は何者なのかを問うことは、人にとって当たり前の営為でもある。人はどういう意味で生きているのかについて、チラッとでも頭に浮かべたことのない人はいないであろう。逆に言えば、人だけが生きる意味や己の存在についての疑問を持つことが出来る。「反省は猿でも出来る」という警句が流行ったことがあったが、このように生きるコトについての複雑な思考は猿には出来ないので、猿が己の存在についての疑問を持つこともない。確かに人は未だ生きる意味についての答は得られていないかもしれないが、それを問うことや考えることは出来る。

そこで本書の第一部では「人の本性とは何か」を探って行きたい。そして、次に浮かぶのが我々が生きて行く上で欠くことが出来ないものは何かという疑問になる。これには様々なモノがあるだろうが、二部では我々がどのようにして居場所を決めているのかという「定位」について考えたい。三部では生きる指針である「格率」について。四部では「生き甲斐（がい）」について述べていきたい。この小論が何かの考えるヒントになればこれ以上の幸せはない。

混迷を生き抜くための哲学▼目次

三部▼人は何に従って暮らし、どのようにして行動するのか　73

四部▼生き甲斐　144

一部　人の本性とは何か

人の特徴は恣意性を持つことだ

何故、人の社会が混迷に晒(さら)されることが多くなったのか。その大きな要因は、人が他の生き物と違って恣意的な行動が出来ることであろう。では、何故に他の生き物の世界はこうした混迷した状況にならないのかというと、それは彼等が自然摂理に従っているからだ。しかし人は違う。こうした他の生き物と人の異なる点を象徴するのが「人類は本能が壊れた生き物である」という心理学者・岸田秀氏の言葉になる。というのも、他の生き物が本能に従っているのに、人類は己の力で次の状況を考えて行動に移せるからだ。ここに人間の大きな特徴である「恣意的な行動」が出来ることになる。

　他の生き物は本能に従って生き、自然の秩序の中に組み込まれて安定しているのに、人類は知能が本能を凌駕(りょうが)したことによって自然摂理に無条件に従わずに違う道を選んだ。人工的に作り上げた環境に生きるようになったことで、現在言われている環境破壊を引き起こして自然との齟齬を生じさせ、地球自体の環境の不安定さまでもたらした。温暖化問題もそれになる。

何故そうなるのか。

それは、人が本能や自然領域とは異なる己の自由意思で人為的に行為する領域を持って、独自な文化文明を作り上げることが出来てしまったからだ。自由に出来るようになったものの、問題も生じさせているのだ。

こうした環境が人の社会の基本にある。

ここから出て来る問題点の一つが、人は自然摂理とは別領域の社会を作り上げたままでは良かったが、本能に従う他の生き物とは決定的に違ってしまったということだ。しかも恣意的に個々人が行動出来ることから、一国であってさえも纏まるのが難しく、人類全体となると個々の国々の間の調整が不可能になっているのだ。これは人それぞれがそれぞれに己の生き方の選択肢を作れることで、多様さを持てるようになったからだ。

では何故、人類だけがそれぞれの生き方の多様性を持てるようになったのかというと、部分的であるにせよ、自由に考えて、行動出来る能力を得たことが大きい。こう言えば、他の生き物だって自由に自分の意思で動いているのではないかと思われるかもしれないが、それは違う。何故かというと、他の生き物は一つの種の中での決まった本能的行動を取っているだけであって、決まった環境の中でそれぞれが同じように本能に従って生きている。各々が違った生き方をしたくても出来ないのだ。

こうした生き物の生き方として、同種であると同じ領域の中で同じように過ごすというのをハッキリと示したのが生物学者ユクスキュルである。彼は言う。「生き物はそれぞれ固有の生きる世界を持っている」と。これを彼は環世界（Umwelt）と呼び、その生き物が生きる限定された特定の世界を指して使った。逆に見れば、その世界でしか生き物たちは生きて行けないのだ。

例えば、蝶が見ている世界は人とは随分と違うと言う。蝶は花の形の区別を遠くから見分けることが出来、かなり離れていても分かるからだ。とは言っても、人のように色々な天然色の区別はついていないようだが、人には区別が付かない形の違いや香りとか色が彼等だけに分かる。人類とは大きく違う世界に住んでいるということだ。

ハエの世界もまた、人のそれとは全く違う。腐ったニオイをかなりの距離からでもかぎ分けられるハエは、たちまちその場所に集まって来る能力を有する。また飛び回って煩いと思い、ハエを叩き落とそうとしても、上手く行かない。外界認識速度に違いがあるからだという。人は動くものを一秒あたり60コマで認識する、がハエの場合は250コマで認識している。速い動きにしても彼等は一コマ一コマ区別が認識出来ていて、人とはコマの数が違い過ぎて逃げられるというのだ。

ハエにはこうした特徴がある。だから、人がハエを追いかけても、人の方はかなりのコマの動きをすっ飛ばしているのに、ハエからすれば飛ばしもせずに人の微細な動きを多くのコマでしっかりと一コマずつ認識している。だから叩き落とそうと試みても初動に気付かれてしまう。素早く避けて逃げてしまい、叩くのが難しくなるのだ。

このように生き物は、それぞれの生きる独特の世界を持つ。彼等の世界では、彼等は起きるコトを見分けられる能力や動態視力を持ち、独自の環世界に生きていて人にはない特別の才能を持つものの、その決まった世界の中でしか生きられなく、限定されているのだ。

これをユクスキュルは環世界と名付けたが、人類は言ってみれば、他の生き物より感覚は鈍くても、環世界の動物のように限定されずに恣意的な自由を持てたということだ。もちろん、人とて自然の中にいるので、自由を持てたと言っても、部分的であることには相違ない。そうであるにせよ、恣意的に振る舞えて、人工的に己の環境を作ることさえ出来て、様々な所でも生きて行けるようになった。これが他の生き物と大きく異なる点である。

確かに人は他の生き物のような特殊能力を備えていないが、脳が発達したことから総合的に色々な能力を持っている。例えば様々な色を見分ける力や考える能力があって、それらを組み合わせて行動する。こうした能力が開花したのは、密林での生活のなかで葉の種類や果物の成熟度合いを見分ける為に色の識別力が発達したからだという。これは類人猿にもあると言われていて、他の猿の種類でも色の識別能力のあるモノはいるらしい。

だとすると、人類の特徴は何になるのかということになるが、一般には知能の発達がそれになろう。しかしそうなると、チンパンジーと人類とはどう違うのか。これについては、確かにチンパンジーは人類とはＤＮＡでも僅か数％しか違わず、知能は発達している。であればチンパンジーと人類の違いや同じ所は何処になるのだろうか。違う所を挙げるとすれば、ユクスキュルが言う環世界をチンパンジーは未だ持ち、そこ以外では生きられないが、人はこの環世界に縛られなくなっていて、恣意的に己で考えて人の社会やそのシステムを作るようになっていることだろう。

同種殺しをする人とチンパンジー

他の動物には無くてチンパンジーがすることで、人類と似ると言われているのが「同種殺し」をすることである。彼等は身近な仲間でも殺してしまうのだが、こうしたことはどの生き物でも起きているように思われて、実はあり得ないことなのだ。同種殺しをするのは、人類と類人猿ぐらいでしかない。

もっと言えば、何故に他の生き物は同種殺しをしないかと言うと、身近な仲間を殺したら、その種の生き物の勢力が弱くなって、他の種の勢力に脅かされて生存さえ危うくなって滅びる可能性が生じるからだ。一方で人類は知能の発達から恣意的に同種殺しをするものの、それを防ぐ法律や道徳をこれも恣意的に作って何とか生き延びている。

しかしこれが危うく脆い面にも繋がる。というのも、いくら知能の発達を背景に何とかそうしたことを制御して全体の調整を取り続けられたとしても、危機は常にある。典型例が人類の原爆使用だ。相手を殺すのに原爆を使ったら、その相手も身を守るために原爆を使おうとする。互いに使えば共倒れになり、人類は滅亡してしまうだろう。

ウクライナ侵略がそれを示す。プーチンは困ると原爆使用をチラつかせて脅すが、これを使ったら第三次世界大戦になり、人類は滅びる可能性が高まる。しかしチンパンジーは原爆を持っていない。少なくともチンパンジーの環世界では、こうした一気に滅びへと向かうような危機は有り得ないのだ。

攻撃制御システムの欠落した人類

事実、一般的には生き物は同種殺しをしない。もし同種殺しをしたら、その種の存続が危機に晒されることにもなりかねないので、同種殺しを防ぐために、ＤＮＡで同種への攻撃を制御するように本能的な制御システムが作られていて、それに従っている。

　例えば犬なら、腹を見せるとか、首を差し出せば、それ以上は攻撃しないとか、鮎（あゆ）では己のテリトリーがあって、そこに入って来る他の鮎に体当たりして防ぐといった習性がある。この習性を逆手に取ったのが鮎の友釣りである。鮎を囮（おとり）にして、他の鮎のテリトリーの中に侵入させて泳がせ、テリトリーを守ろうとしてぶつかって来る鮎を引っ掛けるのがこの釣りになる。

事実、こうしたテリトリーを持っていて、他のモノが入って来ると闘う生き物はかなりある。例えば集団を構成する狼は仲間を襲うことはないが、仲間以外の狼が入って来ると、襲う。しかし人類には既に「仲間を襲わない」という本能が欠けている。というか、知能が発達した結果として、こうした攻撃制御の機能を知能が凌駕してしまったのではないのかというのが、コンラート・ローレンツの考えだ。

これも人類の特徴になる。

DNAの本能レベルにあった攻撃制御を、知能の発達が役に立たなくしてしまったのだ。現在でも人への攻撃を嫌う人が多いところには、確かに本能的な痕跡が残されていると見るべきかもしれない。何にせよ、人が知能を発達させることで素晴らしい文化文明を生み出したのも事実であるが、副作用として人は恣意的に人殺しをするようになってしまった。こうした人の持つ危険を我々は忘れてはならないだろう。

人殺しをするというのは、猛獣が他の動物を襲うのとは質が違う。猛獣は生きるために餌を求めて他の動物を襲うが、腹減りの時以外は相手を殺さないし、同種殺しもしない。なのに、人は食糧調達とは全く違った恨みとか嫉妬とか、また欲望のためにでも恣意的に同種殺しをする。そこには自然の摂理のような一定のルールがないので、どのような殺し方でもしてしまう。極論すれば、殺し易い人を狙うコトもあり得て、殺したいから殺すということもあり得る。他の動物では有り得ない殺し方であって、チンパンジーがいくら人に近くて同種殺しをするといっても、戦争のような大量殺戮を犯しはしない。ところが、人は戦争で相手を殺せば褒美まで貰えて表彰されたりする。このようなものはいくらチンパンジーでもあり得ない。これをどのように制御するのかが、人が生きる上で重要な課題になって来る。

もう一つのチンパンジーとの違いは既述のように、人工的に人の社会を作っているということだ。チンパンジーもかなりの集団を作るとは言っても、人のような複雑なシステムを機能させてはいない。単純な動物の群れとは違うものの、その域を大きくはみ出してはいない。

人は何故にこのような複雑なシステムを作り得たのか。当然のことだが、その背景にはもちろん知能の発達があるが、これだけだとチンパンジーもＤＮＡレベルでは人と殆ど同じなので、何処に大きな違いが生じたのかになる。

チンパンジーでもそれぞれに性格の違いがあったりはするものの、人の生き方のように、ある人は金儲けに走り、別の人は真理の探究に人生を賭けるといった大きな違いが生まれるようなことはないし、生むことも出来ない。個別差は少しの違いでしかなく、種としたら似たような生き方になる。人のように、その人その人の生きる生き方が様々でマチマチなことはなく、同じような生き方を送る。また事実、色々な暮らし方をしようにもチンパンジーには出来やしない。

このように人類には他の生き物とは決定的に違う所がある。何処かと言うと、根底の部分でそれぞれが己の生き方の選択を恣意的に出来てそれぞれの多様さを持てることである。では、人類だけが何故それが出来るのかというと、己で自由に考えて、行動することが出来るからだ。

こう言えば、他の生き物だって自由に自分の意思で動いていると思われるかもしれないが、違う。というのも、他の生き物の行動は一つの種の中での決まった本能的行動であって、決まった環境の中でそれぞれが同じように本能に従って生きているだけだ。彼等は大きく違った生き方をしようにも出来ないわけだ。

では、何故に人はこの能力を持てたのか。知能の発達だけだったら、チンパンジーにも独自の世界を作り得ても良いことになるが、それは出来ていない。一体、どうしてここに差が出来たのか。

「第三者の目」の獲得

前著でも書いたが、これは人だけが「第三者の目」を持てたからではないかと考えられる。この能力は一般的には脳の一部にある客観視とも呼ばれる所から来るものだ。

客観視の最初のモノが、鏡に映る己の姿の確認になる。これを犬は出来ないが、象とかイルカは出来るという。但し、そこからの「自分の見つめて内省する」といった発展は示していない。これはチンパンジーでも同じであるが、たとえ人ならば客観視出来るとは言っても、完璧に客観的な立ち位置から自分を見ることが出来る能力があるのかとなると、そこまで絶対的な力は人にも備わっていない。言ってみれば第三者の立場に立って、もう一度、自分を見直すことが出来るぐらいであって、ここではそれを「第三者の目」の能力を得たと言っている。

これが人に備わったから、人は他の生き物と違う存在になれたのではないか。どうして人だけがこれを持てたのかについては前著で書いたのでここでは繰り返さないが、この能力を持てたことが他者との複雑な交流を可能にして、また複雑な社会システムの構築を可能にしたと考えられる。人の場合、たとえ客観視に失敗しても、何回もやり直して、もっと正確に見ることが出来る能力を得たことが何よりも重要だと言っていいだろう。

この「第三者の目」が本論の展開に大きく関わって来るので、ぜひ記憶しておいて貰いたい。この「第三者の目」を持てたことが本能を凌駕出来た大きな要因ではないかとも考えているからだ。この能力を持つことで、たとえ失敗を重ねても、そこから再び考え直して幾つもの選択肢を創造することが出来て、何回でもチャレンジ出来るようになったことは、人にとって大きな進化だった。己で色々と選択肢を作って、その中の一つを選ぶということ。これは人が恣意性を手に入れた原点になると言えるであろう。

このように、恣意性を手に入れたのが人類の特徴であるとすると、これこそが人の本質とも言えるのではないだろうか。「第三者の目」を獲得したことで、少なくとも恣意的な行為が出来るようになったことこそが、まさに人の本質なのではないのかと。

何でこのように言うのかというと、人と他の動物を分けるのは「理性」だというのが通り相場であって、近世西欧哲学から主張されて以降、現在にまで及んでいるからだ。要は人は理性を持てるからここまで人の社会が発展したのだと。この根本になっているのがカントの理性論である。カントの時代以前の中世まではキリスト教が西欧を支配していて、宗教者を通して神の言うことを聞いて暮らすのが一般的だったが、それを覆したのがルネッサンスである。

バチカン市国があるイタリアでの宗教者の腐敗と堕落を目にした人々は、これはおかしいと考えた。神の言葉を伝えるのが宗教者なのに、酷く堕落した姿を目にしたからだ。「何だ。これが宗教者なのか」との疑問が湧き、彼等から神の言葉を聞くのは妙なことだとして、ギリシャ・ローマ時代における理性に戻って行こうというルネッサンスが起きた。そこから神に代わる理性を人は持っていることから、神だけに依拠しない自主的な行為が出来るのではないかと考え、理性を主にした近代の西欧文化を発展させたのだ。

人は理性を持つと主張する啓蒙時代が訪れたわけだ。だからこそ、フランス革命では「理性、万歳」と叫んでいる。この理性を検証したのがカントということになる。彼は『純粋理性批判』を書き上げて、理性がどのようなモノかを明らかにしたが、そもそもカントはニュートンの万有引力の法則が何故に見付かったのかを研究した結果、人には誰にでも超越論的自我（transzendental Ich）があるからこそ、皆がそれを理解出来るとした。

これは現代では何でもないことのように見えようが、誰でもがこうした超越論的自我を持てるとなると、当時の社会における王侯貴族は生まれつき優れていて、一般人とは異なるという社会の規範に反してしまう。もしこれを公表したらギロチンに掛けられるかもしれないという怖れから、カントはこの『純粋理性批判』の著書をひどく難しく書いて、王侯貴族にも分からないようにしたと、詩人で革命家のハイネは『ドイツ古典哲学の本質』で皮肉な表現で述べている。

こうしたことから分かるのは、理性というのは日本で使われているような知能とか悟性と言った頭脳レベルのコトではなく、人の本質を成すモノとして、それ以来、捉えられてきたのだ。

しかしここまで述べて来たように、筆者は人の本質は「恣意性」ではないかと思っている。というのも、人は理性的でもあるが、プーチンのようにとんでもないことも恣意的にやりかねないからだ。だからこそ、「人の本質が理性である」というのは、「恣意性」の良い部分だけを指しているのであって、本質の全てではないと言えるのではないのかと。そうでないと、恣意的に人殺しをしたり、戦争が起きたりすることはあり得ないからだ。それでこのコトを踏まえながら、さらにここからの論を展開していこうと思う。

二部　己の位置と社会との関係

一　定位とは何か

定位を決めているのは何か

人は恣意的行為をするにしても、いつもしたいように出来ているわけではない。では、どのようにしてその行為を決定しているのか。ここからはこれについて探って行きたい。もし誤った仕方で行為したとしたら、その人自身も上手く暮らせない上に社会の混乱を招く要因にもなる。そうだとしたら、人は行為をどのように決めて、その決定する基本には何があって、これをどのように裁きつつ、周囲とどう調整を取りながら、社会を作ってきたのかの過程を知ることが重要になる。

当たり前のことだが、行為する上では他者や社会と調整して、その関係性を安定させないと上手くは行かないだろう。言い換えれば、その人その人の居場所が決まって安定することが条件になる。そこで先ずは己の居場所をどのようにして見付けるのかになる。というか、人はこの居場所を決めないと、どんな行為に及ぶにせよ、その取っ掛かりを安心して打ち出せなくて不安定になる。このことから、人は己の居場所を社会の中で見付けようとするが、その己の位置を決める定位である居場所とは一体どういうものなのか。

先ず考えたいのが、人は他者や社会との関係性をどのようにして調整して己の居場所を決めているのかということだ。もし属しているのがシンプルな社会であるなら、この居場所を見極めるのにそんなに問題は生じない。しかし複雑な社会へと発展した現代では、集団や他者との関係性を考えに入れないと、上手く居場所を決められなくなる。それだけでない。定位が出来ていないと、これからどのようにしていいのかが分からなくなって生きづらい事態も起きてしまう。そこでこうした他者や集団と己との位置関係を表す言葉としての「定位」に着目して、これがどのように機能するのかを探っていきたい。

確かにいきなり「定位」と言われても、「何だろう、聞き慣れない言葉だ」と難しく思えるかもしれないが、ドイツ語ではOrientierungであって、これは方向を定めるという意味の語になる。要するに人は方向と距離を測って、己の居場所が何処らにあるのかを求めて見付けようとする。定位とは、まさにそのことを指すと言ってもいいだろう。

　人以外の他の生き物が生きるシンプルな環世界にしても、定位はあると考えられる。どの生き物でもそれぞれの環世界を持ち、その中で生き物は己の居場所を確保して己の位置を決めていると考えられるからで、これもまた定位と呼びうるだろう。生き物の多くは群れを成していることから、その中で己の位置を知らないと生きていけない。例えば狼だと群れを統率する強い狼がリーダーになり、その他のモノはそれぞれの位置が決められているらしい。

　ペットとしての犬であってもそうで、例えば飼い主が犬を甘やかすと己の位置を人間よりも高い位置に決めてしまい、言うことを聞かなくなることも生じるという。ありていに言えば、犬はハッキリした階級意識を持ち、己の位置を決めているらしい。例えばある家での最上位は旦那だが、奥さんは犬を可愛がるのが行き過ぎていて、ついには犬の方が奥さんよりも上位に己を定位して、あまり言うことを聞かなくなるといった現象も見かけられるという。要するに、これは本能から来ているので、一旦、位置を決めてしまうと犬がそれをキャンセルすることは殆どあり得ず、やがて一緒に暮らすのが厄介になるような場合もあるというのだ。

人の場合、そこまで決定的に位置を決めてゆるぎないものにするというのは、特段の場合を除けばそんなにあるものではない。単純に動物のようにハッキリと決めることが難しいというのも、人は様々な要素を考えないと己の位置を決めることが出来ないからだ。そうするにはあまりにも多くの要素が絡むのだが、これを分かり易い形で示したのが階級制だった。

階級制と定位について

階級制の典型例が江戸時代における士農工商の階級分けになる。階級分けといっても、同じ階級の中では皆が同じかというと、そうではない。それぞれの細かい位置が内部でも決められていて、さらにそこの中でも時代によって変動をしたようだ。もっと言えば、江戸時代末期になると町民が力をつけてきて階級制自体にも動きがあって、お金で武士階級の地位を買えたり、逆に武士が町民になったりすることも起きていたのだ。

今もって明確に階級制が決められている典型例としては、インドのカースト制度が挙げられる。ブラフマン、クシャトリヤ、ヴァイシャ、シュードラの四階級に分かれるが、シュードラの下には不可触民と呼ばれるシュードラよりも下位に置かれた階級の者が沢山いる。インドではカーストとは言わずにヴァルナと言われていて、実際は職業（ジャーティ）で分けられている。血縁や職業で結束された共同体を表す言葉とも言われるが、このジャーティは三千以上もあると言われている。

このように人の社会では階級制の形でそれぞれの位置を定め、またその階級内部でも己がどこの位置にいるのかを見極めて暮らしているケースがある。こうした形式がしっかりしていれば、その社会の秩序が保たれて安定性が維持できるからで、インドではそれが依然として残っているのだ。しかし二十世紀になって、先進国では選挙によって国が統治されるような民主主義体制が普及して、そうした階級制は表立っては見えにくくなった。

日本でも民主主義体制で社会が成り立っているものの、現在ではこの制度にも様々な綻びが出て来ている。政治家の世襲制での立候補もそれであって、何代にも亘って為政者になっている場合も多い。確かに民主主義体制では議員を選挙で選ぶことになる。単に親が政治家だから跡継ぎが出来るわけではないが、「地盤、看板、鞄（資金力）」の三つに恵まれているので、選挙に当選しやすいとも言われる。それでイギリスの場合ではこうした特権化を防ごうと、政治家の子息が立候補するには親の選挙区からはかなり遠く離れた処でしか立候補は出来ないように法律で定めている。

　こうした問題があるものの、原則的には誰でも選挙に立候補が出来る制度なので、そこには階級制のような縛りがあるわけではない。しかし長い期間が経つと澱みが出て来て停滞が始まるようになり、流動性に欠けて民主主義体制も危ういものになりつつあるのだ。

　一方、流動性があるということは、変動が起きるということでもあるので、どうしても不安定にもなりやすい。それでこれを防ごうとロシアや中国のように独裁政権を施行している国家も出て来る。このような権威主義体制の方が安定性があるようにも見えるが、内情は違う。国内に住む国民に自由はなく、個人の権利も少ししか認められずに、ごく一部のエリートだけが権力を持って裕福な暮らしをしているので、国民の不満が溜まりやすいのだ。

　こうした国では、国民が自由に己の居場所を定められる定位が出来にくい制限がなされる。無論、民主主義体制下であっても格差拡大が起きて不満が溜まっているが、これは選挙で覆すことが出来る。しかし権威主義体制下では不可能であって、一部のエリートだけが実権を握り、決して手放すことはしない。こうなれば、人々が自分の居場所を自由に決められないどころか、独裁者に無条件にやれと命令されるだけになる。

　典型例がロシアのウクライナ侵略で、ロシアでは強制的に動員されて戦場に行かされるので、何の為にここで戦うのかがしっかりと認識されていないが、ウクライナでは人々が自ずから国を守ろうと積極的なので士気が高い。これからすると士気の高さではロシアとの間に大きな開きがあって、大国のロシアが苦戦している要因とも言われる。要は軍に参戦するにしても、ウクライナ人はロシアに対抗しようと己の意思で決めて居場所を見付けられるから、やり甲斐もあるし、士気が高まるのは当然ということになる。

　結局、ロシアとウクライナの違いには、動物世界と人の世界の違いぐらいの差がある。とは言え、いくらロシアが動物世界に近いとは言っても、実は動物世界には人の世界よりも完璧に機能していて、秩序があって安定している処もある。例えば蜜蜂の世界はそれぞれの役目が決まっていて実に安定しているし、蟻の世界も同じで組織化されていることで常に安定している。

　これに反して、人の社会では色々な問題がある。人工的に人が作って決めている社会なので、いくら権威主義体制のロシアであっても多くの問題を抱えているはずだ。これは民主主義体制が確立している国でも同じであって、実際に様々な問題が生じている。とは言っても、民主主義体制では自由な行為や表現の自由といった自由意思が認められることから、己の居場所を自分で選んで決めることが出来る。だからウクライナでは、軍に入ってもそこに己の居場所としての「お国のため」の適所性を決めることが出来るので、戦う気力が違うのだ。

このことは後で触れる己の格率（生きる指針）との合致や生き甲斐を感じられるかどうかにも繋がるもので、重要な意味を持つことになる。己で居場所を決める定位が己の力では全く出来ないとなれば、自由な定位にはならない。強制された配置の定位になって、己の生き方である格率も自分で作れなくなり、このことから生き甲斐もなくなる。ロシア兵が何の為にこの戦場にいるのかさえ分からなくなっていて、戦意喪失に陥りやすいというのは当然なのだ。

こうした戦場での極論にまで行かなくても、中国を見れば独裁政権の歪みは明らかだ。共産党のエリート高官の家に生まれた子息は、自分の居場所をかなりの自由度で選べるものの、一般庶民は選択肢が少ないか、またはそれに欠けている。大学を出ても就職さえも出来ないことが起きており、現状では「寝そべり」族が出現した。何も出来ず、また何をする気も起きずに、そのまま何もしようとしない中国の若者たちを指す言葉が出現したのだ。

どうしてこうなったのかというと、先に述べた通り大学を卒業しても仕事に中々にありつけないからで、二〇二三年の公的発表でも二十％もの失業率があると記載されている。しかし実際はさらにその倍に及ぶのではないかという憶測もささやかれていて、所得の面でも都市部では上位二十％と下位二十％の平均値の差が六・三倍になるという（二〇二三年九月十四日の日経新聞）。

無論、民主主義体制でも上手く行かないことが多いが、中国ではそうした大きな格差があるというよりも、人々に自由がなく流動性に欠けていて身動きが取れないことの方が大きな問題と言うべきだろう。当然のこと、日本でも問題が色々と生じているが、まずはこうした定位と呼ばれる己の居場所をどのように人々が見付けてきたのかを歴史的経緯から見てみたい。が、まずは身近に起きたことから話を始めよう。というのも、最近であっても、そうした歴史的な残滓（ざんし）があることから問題が生じている傾向が強い。ということは、庶民の側にすれば共同体社会システムがずっと続いていたとも言えるからだ。

二　己の位置と社会との関係の歴史的経緯

定位の歴史

歴史的に見れば、江戸時代には封建的システムが機能していて、安定した期間がかなり長く続いたが、庶民側からすれば、結構、暮らしやすいシステムだったとも言える。こう言えば、そんなバカな、封建時代なのにそんな筈はない、と驚かれるかもしれない。

このように言えるのは既に述べた通り、村システムが戦国の室町時代に出来ていて、これが受け継がれていたというのが重要ポイントになる。というのも、意外に知られていないが、戦国の混乱から庶民（村人）は自分達を守るために、村としての集団を自分達で作り上げて村システムを形成し、厳しい統制まで課して自分達の暮らしを守ろうとしたのだ。無論、防御だけでない。村集団を強固にするべく、互いに助け合いを重視しながら自立した村を形成したのだ。

これが何で重要かというと、ただ統制するための厳しい規制を作っただけでは維持出来ないので、必ず互いに助け合うというのを重点にして決め、そこに人間的な温かさを加えた。このことは、たとえ定位が少し硬直化していても、それを補う相互扶助が機能したケースであると言える。

このようにして、村が独自に自立する前提の上で互いの助け合いを基礎とする共同体社会システムが作られ、上手く機能するようになった。自分達で作った村システムである。いくら政治体制が徳川幕府に変わって身分制が敷かれても、しっかりと続けられていたのはそれだからだ。

自分達で作成した厳しい規制と温かな互助的助け合いという硬軟を含めた運営だったこともあって、上手く機能していたと言って良いだろう。無論、家康がそれを上手く利用して扱ったというのもある。彼はお米の石高で経済が回るというコメを基本とする体制なのを知悉していて、基本的に農民を大切にしたからだ。慶長八年の「御領所（天領）ならびに私領（旗本）の百姓の事」のお触れの七カ条には、農民が困ったら領主の非法を理由に逃散することまで保証している。これから分かるのは家康が農民を大切にしていたことで、それというのも、コメが国の流通の要（かなめ）であって、これを生産するのが農民だったからだ。

結局、日本の村のシステムは一九四五年の敗戦後も残存し、一九六〇年代前半までは続いた。都会を別にして、普通の地方都市近郊の農村ではこの共同体社会システムがまだ機能していて、己の位置はしっかりと決められ、このシステムに従わない者は排除や非難の対象になったからだ。その究極のモノが村八分であったが、現在でも山奥とかの昔からの慣習に従っている村ではまだこうしたシステムが幾らか残っているようだ。このシステムがどのように機能していたのかを表す一例が、次の節で紹介する事件になる。

村の定位の厳格さの残滓

最近のことだが、山奥の村のある議員の息子が村人の婦人を殺す事件を起こした。昔と違うのはそうした殺人行為にまで至ってしまったことだが、変わらないのは彼が村で噂をまき散らされたことである。推測に過ぎないが、村の拡声器であったであろう婦人に非難の噂をまき散らされたその息子は、それに腹を立てて、殺してしまったのではないだろうか。

何故にこの婦人は彼の噂を立てたのか。

多分、これには少なくとも二つの要素があるだろう。一つには村のシステムの中で助け合いを基にする村の生き方に反するような者は許せないというのと、二つにはそうした噂を立てることが村の中で日常的に行われていたということだ。詳しくは分からないが、噂を立てられたその息子に何らかの非があったとしても、それを村中にまき散らされたことに彼は我慢が出来なかった。それである日、その婦人が別の婦人と歩いているのを見た彼は追いかけて、執拗に殺したのだ。

この事件で分かるのは、共同体社会システムが続くこの村では、システムに反した行為をする者を非難しても構わないという慣習が未だ残っていて噂の対象にしたということだ。多分、村での村人の位置はかなり決まっていて、彼は議員の息子という立場だった。なのに、それに相応した行為をしていなかったので非難され、噂の対象になったようだ。これは村人の位置がしっかりと決まっているのに、それを乱す者がいたので噂の対象にされたということだが、昔と違ったのは、こうした山奥の村にも個人の自由が発揮される空間が出て来た点になる。それをこの婦人は理解していなかったのと、個人的な妬(ねた)みや嫉妬が加わったのもあったのかもしれないが、昔と同じような正義感からか、我慢が出来なくて非難をその彼に浴びせるのを当然として噂をしていた。そうしたところ、昔の時代と違って、彼は己の怒りを晴らすことが出来てしまったのではないのか。

ここには、かつては人の社会と己の位置関係をどのように測って人は決めていたのかが現れていよう。この村で言えば、彼の位置はもともとは議員の息子という位置が決まっていた。しかし彼は己のやりたいように振る舞ったので、その父親から自ずと決まってきていた位置から外れて、周囲の非難の対象になったのだろう。昔であれば、これこそは村の中では許される行為ではなかったのだが、現代では共同体社会システムが壊れつつある。いくら村にこうした昔からの雰囲気が残っていたにしても、個人の自由が大幅に認められる時代になっているので、そこから齟齬が生じて事件が起きたのではないだろうか。

婦人からすれば、彼の行為は村のシステムを壊していることになる。このままでは村からすればゆゆしきことになるので、彼をはじめ、彼の親の教育の仕方を非難した。しかし息子の彼にすれば個人主義の時代にあって、父と彼とは別人格なのだ。親の教育の仕方も含めてのものであったにせよ、既に大人になっている彼への強い非難と受け取ったのだろう。しかも現代では個人を非難するのは個人の人権や自由を認めないことになって、そんな権利が他者にあるわけがないと腹を立てて、ついに婦人を殺してしまう所まで至ったのだ。そうでないと、逃げる婦人を執拗に追いかけて何回も刺すというまでの殺意は起きない。余程の殺意があったとしか考えられない。

ここには、共同体社会システムとしてガチガチに定位が決まっていた村社会が、現代では個人に重きが置かれるようになって、そのシステムに崩れが生じていることが示されているのだ。そうだとしても、この村では共同体社会システム内での村人の位置が概ね決まっていて安定している状況がまだ残っていたようだ。しかし彼のような若い世代ではそれを認めない風潮が出て来ていたのに、この婦人は昔のように村のシステムを守ろうと非難の噂をまき散らして彼を更生させようとしたのかもしれない。彼にすれば、己に対する人格攻撃でもある。許せないということで不満が溜まっていたので、執拗に追いかけてまで殺したわけだ。ここには、村の中での人の位置関係の問題である「定位」が浮き彫りにされている。

基本的に、人は社会や村の中での己の位置関係を決めて（定位して）暮らしているが、それが昔ながらの共同体社会システムでは個人単位で決めることが難しくて、個人の自由は制限されていた。またそうした制限があることで村の秩序は保たれていて、村人は平和に暮らすことが出来ていた。今度の事件は、それが既に変質して個人の権利が強くなっていたことをその婦人が自覚していなかったからこそ起きてしまった悲劇ではなかったか。

昔の慣習的な領域を未だに含んでいたからこそ起きた事件であった。

昔の村ではこうした噂はいくらでもあった。近所で婦人達が集まる井戸端会議もその一つだった。村人の一軒、一軒の位置はハッキリしていて、それを村人全体が知っていたので、ちょっとしたことをしても噂の対象になった。村人は家単位でも個人の単位でも村のシステムに属していて、このことが逆に村の秩序の安定に寄与していた。

言ってみれば、〇〇家の息子や娘といった親からの位置が決まっていて、独立はしておらず、またこの位置関係を村人が皆知っていた。つまり、村人である限り、その一挙手一投足が皆の知るところであったので、ちょっとでもおかしな振る舞いをすれば、非難の対象になり、噂を立てられた。現代近くになると個人主義が行き渡ってこの村システムがとても窮屈であることから、意のある若者は何とかしてこのシステムからの脱出を図ろうとして、村から出て都会で働こうと試みるのが既に普通になっていた。しかしこの村では、昔からの慣習がまだ残っていた上に、個人的な嫉妬や妬みから来るものまでが付け加わっていた可能性が高い。

別の例での齟齬

確かにこうしたコトは現代では稀になったが、一九六〇年代前半くらいまでの地方都市近郊の町では、まだ村の慣習や世間知が幅を効かせていた。

ある友人の例だが、彼は浪人して東京の予備校に通っていたが、その途中で体調不良になって家に帰り、もう一年間の浪人生活を余儀なくされた。すると、親戚や村人が何もせずに家にいる彼を非難してきたのだが、彼にすれば、長く机に向かうことが出来ずに勉強をしようにも出来なくてイライラしていたのに、皆が事情を知らないままに彼を「なまあ（ごくつぶし）」と名指して非難したのだ。無論、他者の彼等がお金を出してくれるわけでもない。なのに、何で非難をするのだと彼は怒っていた。

非難を浴びせられた母親は、彼やこの家の世間体を心配していたが、イライラする彼を恐れていて、いつも畑仕事に外へ出て行っていた。子供が勉強をしようにも出来ずにイライラしているのを知っていて、彼が自暴自棄になって自殺をしないかと恐れてもいたのだ。ただ、その彼は体調が悪くても何とか地元の大学に入った。三年もすると体調が回復してきたので読書に邁進（まいしん）して乱読した結果、こうした矛盾した社会システムや人の生き方の問題をどうしても勉強したくなって、卒業時に別の難関大学に挑戦したところ、上手くいって合格した。

そうしたところ、村では二年も浪人した挙句にまた別の大学に入ったということから、再び「ごくつぶし」の非難を浴びせられた。無論、二度目の大学では彼は家からの仕送りは何もなかった。ただ、まだ学生をしているのは「ごくつぶし」であって、世の中の為にならないという当時の世間知からの非難でもあった。もちろん、他者からの援助は何もなかったのに、世間は彼に非難を浴びせたのである。

ここでも昔からの慣習に加えて、個人的な嫉妬があったようだ。というのも当時、一般的には己の息子が良い大学に入れなくても、浪人するとお金がかかる上に、息子がそうした「ごくつぶし」的な存在になって「後ろ指をさされる」のが怖くて、親は現役合格に固執するというのが普通であったからだ。それで村の人たちは基本的には現役合格が正義であると考え、一浪ならともかくも、何回も浪人したり、二度も大学に行ったのは単なる「ごくつぶし」で世の中のためにならないとしたのだ。しかも自分等の息子に力がないのを棚に上げて、相手への嫉妬から青年を非難して回った。彼は家から全く援助も何も受けていないのに、こうした非難が許されたのが個人主義時代前の農村のような共同体社会システムの空気感だった。これがまだ残滓としてあったことが、今度の山村の不幸な事件の背景にあったのであって、言いようがない悲惨なものである。

ここには村システムの負の遺産がある。かつての村社会には、確かにこうした厳しい監視の目はあった。ただ一方で、もし困った家があったら隣家や村人が手を差し伸べるという温かさがあったのも確かだろう。そこに個人主義的な考えが入って来ることで、個人の権利が主張されて村システムとの齟齬が生じたということだ。

無論、この齟齬が解消するには一九八〇年代後半まで掛かったのだが、未だこの村には残滓が残っていたのだろう。村システムの崩壊によって、現代のような自己主張の横行がもたらされ、助け合いシステムが消えたことで温かな相互扶助という交流も失われてしまった。

一つのシステムから別のシステムに移行する場合には、様々な齟齬が生じて、社会にガタが来る。いずれにしても、他の生き物と違って、自然摂理に従うことをしない人の社会では、何とかして安定を保とうと色々な工夫をしてきたのだ。その一つが階級制である。

これを次に述べる。

三　人の位置関係を規定するものは何だろうか

共同体社会システムでの規定

こうして密な共同体を成立させることで社会の安定をもたらそうとしたのは、日本の村システムだけではなかった。既述のようにインドのカースト制度はもっと苛酷な階級システムだった。インドの初代法務大臣でインド憲法を作ったアンベートカルは不可触民出身で、子供の時に兄弟で歩いていたら喉が渇いたので、傍らにあった井戸の水を飲むと、不可触民が我々の飲み水に触れたとして、死ぬかと思うほどに叩かれる経験をしたのだ。これなども、そうした慣習規定から来るものであろう。

無論、日本でもこうした村での慣習規定はかなり強力であって、これに従って村の秩序を乱さないことが大切であり、それが正義であった。壊そうとした者には村人が寄ってたかって非難の集中砲火を浴びせた。しかしこの村システムの場合、インドとは違ってその中に厳しい階級制はなく、互いの助け合いの精神からそれぞれの持ち場が決まっていたという大きな違いがあった。というか、この互助なくしては昔は生活が成り立たなかったのも確かであって、特に農家では互いに協力し合った。米の育成でも苗田の時期は短かい期間に収まるよう決まっていたので、お互いに助け合って苗を植える必要があったのだ。

しかし戦後の一九七〇年代頃になると、こうした一斉に田植えをしたりするような互助的で農村的なものが廃れて、他村の農民を金で雇うということが流行りだした。言ってみれば、助けを頼んだり頼まれたりする濃密な関係よりも、金で処理出来る簡便さの方を選ぶようになったのだ。事実、七〇年代、既に農業をしていても、勤め先の会社から給料を貰う農家が主になっていたことが共同体社会システムを壊しかけた。要は会社を中心とした組織化されたシステムに移ったことで、集団よりも個人の力や個人の人権が重視されて、家を単位とした共同体社会システムが終焉を迎えていたのだ。既述の事件のようにまだシステムが残っていた地域があったとしても、会社中心のお金の力が主になったのと、新しい個人主義が入ってくることで、様々な齟齬が生じるようになったのだろう。

昔はずっと互いに助け合わない限り、暮らしは成り立たなかったのに、この時代になるとサラリーを貰っての会社生活に切り替わりつつあった。既に今では「村八分」の言葉は死語に近くなっているが、この村八分というのは、問題を起こした家を排除するために行われていた制度であって、もし助け合いに参加してくれなかったなら様々な問題が生じるということから、厳しい罰が与えられた。但し、例外として火事と葬式だけは別の形で助け合いが機能していた。

とにかく、村八分まで行かない前段階の「後ろ指をさされる」も存在していた。この言葉は昔の村社会では重要な言葉であり続けていて、それはまた昔の村に村八分の制度があった残滓でもあった。つまり、村八分まで行かなくても、村人からおかしいと「後ろ指をさされる」だけでも十分な効果があった。暮らしが成り立たなくなるまでは行かなくても、暮らしが上手く出来なくなるかもしれないという死活問題にも繋がり、これによって村の秩序は保たれていたのだ。ここまで述べて来たように、それぞれの家は村の中での位置関係が決まっていて、特段の事件が起きない限り各戸の家の位置は固定されていてゆるぎないものだったが、敗戦後はこの村システムに変化が強いられた。

アメリカのGHQが実施した農地解放がそれになる。それまでは本百姓を除いて小作人が多くいて、大地主に従うという村のシステムはこうした関係性の中で機能していた。このシステムは融通性に欠けていて、新たな関係性を作る者を出現させるのは難しく、その頃には意のある若者は村から都会に出て、己のやりたい仕事を探すようになっていた。特に戦前では軍人と教員になるのには政府からの特段の援助があったので、村の優秀な若者の多くがこれらを目指した。とは言え、大部分の村はそうした昔から続く慣習に従って暮らしていて、一部の若者を除いて秩序は上手く保たれていた。しかし敗戦後のGHQの農地解放によって、小作人も自分の農地を持てるようになり、村のシステムは大幅に変化した。但し、だからと言ってこれから家の位置関係がすぐに大きく変わったわけではない。農地解放後も、このシステムはしばらくの間、ある程度は機能して続いたのだ。

しかし敗戦後から半世紀近くになる一九八〇年代になると、戦後の資本主義システムが機能し始めて、「米」が要の農業から衰退し、代わりに兼業農家になって会社から貰う給料が主になり、さらに農業を廃業する家が続出した。この影響は地方都市の近郊にまで及び、そこから日本の国全体の安定に揺らぎが出て来た。

典型例が中学、高校での授業崩壊である。昔のがんじがらめの濃密な人間関係を基礎にした共同体社会システムの関係性に緩みが出たことで、個人の自由行動がもてはやされるようになったからだ。それとこれまでのシステム上にあった権威への反抗が表に出て来たとも言えよう。そうした事情があったことから、学校権力に反抗する者こそが現代のヒーローだとしてしまう流れが出来ると、一挙に全国に広がったのだ。

　この先駆けとなったのが、学校における先生の権威への反抗である。その典型が授業での私語になる。これが平気で行われるようになった。こうした行為は先生の権威への一種の反抗であることから、これをヒーロー的な行為と捉えられるような現象が起きた。またそうなるや、この現象は全国に広がって収拾がつかなくなり、高校や大学にまで及ぶようになった。例えば優秀な者が揃っているはずの難関大学でも私語が蔓延したのだ。これは個人主義化に伴う現象であって、それまでの権威の引きずり下ろし運動に続いて、個人が誰に対しても対等であることを示そうとしたとも取れよう。後で触れるが、基本的人権が認められることで村の集団社会的な秩序への反抗の狼煙が上がったとも言えるだろう。

　このように、村のシステムの崩壊から個人の自由の出現が起きて、個人主義の時代の到来を告げることになった。一九八〇年代のことで、全国の至る処で身近にこのような事件が起きた。確かに国とすれば、初めこそ、どう対処していいのか分からなくて、後手後手に回り混乱したが、これも一種の庶民革命と言ってもいいのかもしれない。というのも、これがきっかけになって、モンスターピアレンツやモンスターペイシェントといった教師や医師の権威への反抗が次々と起きた。地方の官僚を含めた官僚への罵りもそれであって、現代において殊更の反抗がないままに唯一残っているのは、警察くらいではないか。

位置関係の濃淡

既に述べたように、昔の村のシステムでは厳しい規定があったものの、まずは助け合いが基本であって、どの家がどのような役割を担うのかをハッキリさせた上での運営がなされた。つまり、江戸時代までのシステムは基本的にそんなに変化があったわけではない。明治時代以降でも少しの変化はあっても、大きな変化は生じなかった。第二次世界大戦後には農地解放があってかなりの変化があったとは言うものの、都会から外れた村ではまだ助け合いのシステムは残っていた。村人がそれぞれの持ち場で助け合いをするから暮らせるという考えが、村人には根強く残っていたのだ。ということは、それぞれの家の位置と動き方が決まっていて、村の中での家々との距離も決まっていて、これで村人の生活の安定が成り立っていた。

こうしたことは現代では封建的で窮屈に見えるが、人々の助け合いという人間関係を基礎にするので、基本的には人々の暮らしは和気あいあいとした温もりのあるものであった。

例えば村の金持ちは年に一度は村人に施しをしなくてはならなかった。こうすることによって、硬直化しがちな村での家の決まった定位からくる息苦しさを何とか緩める措置が取られていたのだ。逆に言えば、金持ちでも施しをしないと、村では生きて行けなかった。つまり、助け合いを基礎にした暮らしを誰かが乱すというのは、村の相互の助け合いに立脚した暮らしを台無しにすることにもなるので、問題を起こす者を厳しく罰した。逆に言えば、現代のような複雑なシステムになって、こうした慣習がいつしか失われた。金持ちはいくら金持ちになったとしても、貧者への施しの義務がなくなった、だからこそ、問題が起きるのだ。

要は現代では温もりのある社会が姿を消して、乾いた冷たい社会が出現したと言っていいだろう。言ってみれば、そうした慣習が消えてしまったのは、財務省が一手に税金配分を担ってしまったからだとも言える。どの先進国でも歳入と歳出は分けられた省庁で行っているのに、日本では一緒になっている。このことから、税金を取るのでも寄付するのでも、独断で彼等が認可することが可能になっているのだ。

それなので金持ちがいくら寄付をしようとしても、そこからの減税は中々、認めようとしない。ここのところにも、硬直化したシステムの怖さが現れている。例えばトヨタのような大企業はアメリカでは大学にかなりの寄付が出来ていても、日本の大学には出来ていないのもこれが原因だ。

こうしたことから見られるように、村ではシステムとして助け合いの精神がまだ生きていて、家や個人の位置が固定されていたにしても、そこには温かな助け合いの交流があった。これらが上手く機能したことから、何百年も持続するシステムとして続いたのではないか。ほぼ決まっている関係特有の窮屈さもあったにしても、人間的な温もりのある交流が息づいていた一方で、自由に個人が変えられる濃淡の領域は少なくて、固定的な関係の中には硬直化も見られたであろう。

しかし現代の生活ではずいぶんと異なる。家と家との関係というより、個人と個人との関係になるものが多い。家族、友人、知人、ビジネスでの関係といったものは広がりと多様さがあり、そこでの関係には濃淡での密度の違いがあって、それを個人の意思で決められる部分がかなりある。無論、会社での関係において縦関係はかつてより緩くなっているとは言っても、上下関係は厳として存在している。そこで関係のあり方を間違えると、その組織内で生きるのが難しくなる場合もある。というか、現代ではまだ完全にそのシステムに移行をしていない処もあるので、既述のような村システムが残っている所では齟齬が生じやすいのだ。

イメージの構成

こうした位置関係を繋げて定める原点は何になるのか。これには人が他者や集団、社会をどのように見ているのかが大きく関わるだろう。当然のこと、ここには正確さとか完璧さが求められるものの、そこまでの完璧さがある所までは人には行けない。というのも、逆に関係を見極めるのは重要であるものの、完璧さが求められるわけではないのだ。言わば先に述べたように、この関係をどう捉えるのかといった時でも、人は雰囲気的なモノで決めているからだ。ここでいう雰囲気とは個人や集団との関係の曖昧さを整えることなので、雰囲気というよりもむしろイメージということになるであろう。これこれの関係であるというイメージを持つということになるので、そこには危うい面も生じる可能性がある。

具体的に言えば、ある人を友人にする場合には互いに認め合うことが必要になる。一方的にその人を友人と見なすイメージを持つのは自由であっても、思い込みに過ぎないモノになりかねない。この友人関係での濃淡が端的に現れるのは困った時である。どのような態度をされるかでその関係の本質が見えてくるからだ。

もっと深刻なのは恋人関係の場合だ。これこそ互いに認め合わない限り恋人関係は成立せず、一方的だとセクシャルハラスメントになってしまう。また集団や社会と個人との位置関係では、そうしたシステムの中で己がどのような位置関係にいるのかが決め手になる。ここに大きなウェイトを占めたりすると、パワーハラスメントが生じることになったりする。いずれにしても、根底に信頼関係がどのくらいあるのかによって、その位置関係もまた変わってくる。

例えばその人が課長だとしても、部下との位置関係は村のシステムのように固定化されたものではない。これがあるのでパワーハラスメントは根絶やしにならないものの、逆に脆弱性も持っていて、部下が何も動かなくなる場合もあり得る。以前、本庁の若いキャリア官僚が地方の部長とか所長として赴任した場合、形式的には上司として認められるものの、現場経験が乏しいので部下が思うように動いてくれなくて、単なるお飾りに祀り上げられ、本来の意味での上司としての業務が出来なくて蚊帳の外に置かれてしまい、形式的な経験だけになってしまうことも多かった。

しかしこれが民間ビジネスになると、全く違う関係の結びつき方になる。何の経験や知識もないものが上に立つことは、会社の利益に反することになるので一般にはあり得ないことなのだ。というのも、もし交渉に関わる者がその分野について全く知識がないのに責任があるとするなら、相手との関係が非対称性になって上手く行かなくなる。相手の分野を詳しく知らなければ、相手の思うように翻弄されてしまうし、どのような形式でビジネスが成立するのかが分からないままになって、簡単に非対称性が成り立ってしまい、ビジネスが出来なくなるのだ。

非対称性というのは難しい用語だが、個人での売買の例で見ると分かりやすい。レモン市場と言われる中古車市場を例に挙げよう。例えば、もしあまり車に詳しくない者が中古車を買うとなると、その車がどのくらいの程度のものかを見極めるのは難しい。無論、売る側はその車がどの程度のモノで何処が故障しやすいかを把握しているが、買う方はそこまでは分からないので、時におかしな車を買ってしまうことになる。

だから、中古車市場は酸っぱい市場、レモン市場と言われるのだ。売る側と買う側とは同じ立場ではないので非対称性ということになる。要するに、中古車市場では売る側は相手の買いたい車の情報を持っている。だが、売る側の言っていることの正しさを判断出来るかは、買う側がそれを判断出来るだけの情報を持っているかどうかにかかってくる。情報を得ることに何の努力もしない者は容易に引っかかってしまう。

ビジネスも同じで、経験豊かな者は如何にしてこの非対称性をなるべく対称性へと近付ける努力が出来るかが要点になる。こうした非対称性のケースはビジネスでは至る処にある。

　例えばある人がアパートを建てようとした場合、どのくらいの値段が適切なのかは建設会社でない限り、分からない。この非対称性に目を付けて、「我々がこのアパートを建てれば、九十％の収入保証をしますから、我々に建てさせて下さい」と言われるケースがよく出て来る。

　ここには、非対称性を使って上手く利益をあげるノウハウが詰まっている。顧客は建築費がどのくらいになるのかは分からないので、かなりまで値を高く釣り上げることが出来る。その利益をアパートの賃料保証に回せば、ビジネスが成り立って、会社は利益を上げられるというわけだ。

　だが、顧客の側に立てば、建築費がどのくらいになるのかが分からない上に、アパートの住人の募集をどうしていいのかも分からない。この難題を業者が引き受けてくれるのだから、こんなに美味しい話はないと思ってしまう。しかしそこには非対称性の罠が潜んでいる。アパートを借金で建てても、結局は収入がそれに対応したものにならない場合がよくあるからだ。

確かに最初の頃は業者も約束を果たしてくれる。でも、十年縛りがあったりして、そこからは収入保証は受けられないという契約を知らずにいたりして、収入がなくなってしまうこともあり得るので、注意が必要だ。事実、アパートを建てても、十年くらいは新築物件というので、何もしなくても住人は入って来るが、問題はその後なのだ。そうであるのに、そこから保証されなければ、建てた人には何の利益ももたらさなくなる。

そこで、いくらビジネスの現場が戦場だとしても、こうした非対称性を少しでも少なくすることが必要になる。一つにはその分野を研究して、そこの事情を知っておくことだ。もう一つには、交渉に関わる人がどのくらい信頼出来るかをちゃんと把握することだろう。つまり、信頼できる人をどのくらい持てるのかが重要な要素になるのだ。

信頼関係といっても、その構築はとても難しく時間が掛かる。どこまでその人を信用出来るかの判断が決め手にはなるのだが、これへの特効薬はない。一つ一つ築いていくしか他に方法はないが、基本となるのは信頼に足ると思える人かどうかを自らしっかり判断することだ。そしてその人との関係を重視して、相手からも信頼を得るしか他に方法がないことになる。

何だ、そんなことは当たり前じゃないかと思われるかもしれないが、信頼を勝ち得ることはそんなに容易なことではない。もし容易に信頼関係を成り立たせられる場合があるとするなら、それは互いの人格が尊敬出来るかどうかが基本になるだろう。実はこれが難しい。もし信頼し、信頼されるためには友人関係のようにお互いが尊敬し合えることが必要になるからで、中々、そうした場合は少ないだろう。というのも、誰でもビジネスでは利益を上げなければならないからで、お人好しにやっていてはビジネスにならない。

では、どうしたらいいのか。結局はこの人と決めたら、出来るだけ誠実に対応して信頼関係を構築して行くしか他に方法はない。

例えば車のセールスマンとして働く場合。客に対して素晴らしい説明をする喋（しゃべ）る能力が高い社交的な人が良いセールスマンになれるかのように思えるかもしれないが、知り合いの店長に言わせると、無論、そうした能力があることがマイナスにはならないが、それは一部でしかないと。どういうことかというと、逆のケースも多いからだという。つまり、喋り下手で、トツトツとしか話せない者でも、誠実さがあって、コツコツと顧客の数を積み上げる努力が長年に亘って続いて行くと、話下手の者がトップセールスになることもかなりあるというのだ。

個人主義における定位の問題について

現代では昔のような固定された関係に基づく定位ではなくなっているが、己の位置を何処に置いたらいいのかが分からない時代になったとも言える。すべては個人の判断に任せられるからで、間違った定位をすれば何事にしても上手く行かなくなる。安定させるのは難しく、特に社会、また会社での定位を定めるのは色々と問題を抱えることが多い。

それだけでない。もっとも簡単と思われる友人との定位にしてもそんなに簡単ではない。というのも、いくら友人とは言え、一方的にやってもらうことをお願いしている関係では長続きはしないだろう。いわゆるウィン、ウィンの関係が理想であって、これであれば対等でありながらも友人関係は持続出来ることになる。もし一方的に言われることだけに従う友人関係であるならば、どうしても不満が生じてしまう。いくら家族ぐるみの付き合いの友人関係と言っても、一方が従順に従っているだけならば、たとえ関係が続いていても対等な関係とは言えなくなる。

厳密に言えば、いくら友人関係でも大抵はどちらかが優位になるものの、何らかの優位がたとえあっても、別の領域では逆転していれば、それなりに対等性は保たれる。友人関係において、別の分野での優位性の領域をそれぞれが持っていれば関係は長続きするはずだ。そこにはお互いのリスペクトがあるからで、事実、ここまで厳密でなくても友人関係が成立するというのは、それぞれに優位があって、それを認め合えるから成り立つと言っていい。

現代の問題は、こうした目に見える友人のような関係ではなく、不特定の他者との位置関係が多いのが現実であろう。例えば、買い物をする場合での店側との関係を考えてみよう。スーパーマーケットが全国に出現するようになった一九七〇年代から、それまでの個人商店と違って相手が知り合いの店主ではなくなったことは、時代の変遷による大きな変化だった。

それが何を引き起こしたのか。

万引きの多発である。個人商店では店主は知り合いなので、万引きをすることはその関係を無にすることになるのであまりしなかった。しかしスーパーになると、店長や売り子の顔を良く知らないので、つい、万引きが横行したとも言われる。昔の村システムに似て、身近にいる知り合いという濃い関係では万引きがしにくかったのだ。というか、もし万引きをしたら一挙に関係が崩れるのでしなかった。

ただ、スーパーが出現した当時はまだ個人商店との関係の面影が残っていたので、万引きは殆どなかったように思う。その当時のアメリカでは既にスーパーの時代を長年経験してきたので、多くの人が万引きをしているとの報道があって驚いたが、今では日本でも同じようになっているようだ。

これはまさに、楽に手に入るものなら手に入れようとする恣意的行為のなせる業だ。恣意性が発揮されるようなシステムの時代に入ったと言っていいだろう。

現代における定位のどこに問題があるのか

「恣意性」が発揮されるようになった現代における問題としては、公共精神の欠如が挙げられる。世の中が発展してシステム化され、温かな関係が少なくなって間接的でドライな関係になったからで、それが見られる典型的な例がコンビニであろう。以前にはゴミ箱が店側に置かれていたが、それも今はすっかり少なくなった。というのも、客が個人のごみを大量に捨てるからで、その処理にてんてこ舞いになって、店の管理出来るレベルを超えてしまったのだ。

これはどういう現象だろうか。

一つには現代での定位は基本的に個人が自由に作れることにある。それでコンビニと己の位置関係を見極めるのに、時にコンビニを使っていて儲けさせているのだから、このゴミくらい片付けさせてもいいだろうという利己的な定位をするからだろう。つまり、己の論理だけからの利己的な定位を作れるからで、そこには互いに助け合う村システムのような公共性の理念は何処にもない。これは資本主義が生んだ利己的な動機から来るもので、個人主義的な論理でしかない。

誰もが己の論理を優先するようになったからで、これは人の本性である恣意性から来るものだというのは確かだが、一方でこのコトを調整して人の社会を作り上げて安定をもたらしてきたものが消えつつあるのだ。実際に新自由主義では利己的に儲けて何が悪いと開き直った。またそれが広く流布して、おかしなことが生じるようになった。というのも、実際は個人消費者である弱者が、小さな店側の弱者を苛（いじ）めるという構図が出来上がったのだ。このコンビニのケースも同じで、弱者が弱者を苛めているのであって、コンビニにロイヤリティを払わせている本部の強者である大資本側には何の痛みもない。こうしたことから世の中がどことなくギスギスすることが起きるようになった。

ＳＮＳでも似た構図が起きている。ちょっとした過ちを取り上げて、その人を吊し上げて憂さを晴らすのだ。これも同じように、弱者が弱者を苛めていることになる。何のことはない。一番に利益を享受している運営するプラットフォーム側には何の痛みも生じていないからだ。

最大の問題は大きな環境悪化からくる社会問題であろうが、身近な物価高という経済的な問題ならば、すぐに生活に響くので人々の素早い反応があるが、ここでいう環境悪化という大きなモノとの定位を決めようにも相手は目に見えないので、直接的な抵抗行動には中々に移せない。無論、会社内の労組にしても同じことだ。今までは大企業の経営者側が世の中の不況のせいにして、賃金は上げられないとしてきた。これで経営者側と労働者側との所得の差が大きくなってしまったが、こうなったのには日本全体が一九九〇年代からバブル崩壊を経てずっと落ち込んできたと、何かと外部要因のせいにしてきたことも大いに関係しているはずだ。

定位を人はどのようにして作ったのか

既に述べたように、他の生き物は本能に従っての定位であって、己で決めたモノではない。しかし人の社会では人だけが持つ「第三者の目」の力が大きく働いていて、他者との関係での定位を決めるだけでなく、集団や社会の中での定位が出来る。これが出来るのは、「第三者の目」があるからだと言ったが、これの如実な発現が遊びに見られるという。

ホイジンガが言うように、遊びはかなりの高度なモノを含む。脳が発達した脊椎（せきつい）動物は定位から来る遊びが出来ると言われる。例えば犬や猫。紐を持って来て、フニャフニャと動かせば、子猫なら飛びついてくる。既述のように魚でもそうで、ルアー釣りがそれを表している。ルアーを上手く動かせば魚はそれに飛びついてくるので釣れる。これは餌に模しているせいもあるが、それだけではないようだ。やはり遊びの要素があるからではないかと言われるが、人と他の動物との違いは一対多や多対多の遊びが出来るかどうかで区別されるという。というのも、知能の発達が人類に近いチンパンジーでも、複数での遊びというのは難しいらしい。確かにチンパンジーの間では一本の木の枝を持って逃げる者を追いかけて奪いとろうとする鬼ごっこのような遊びがあるようだが、あくまでも一対一だと言う。

だが、人間は違う。

一本の木の枝を持って一人が逃げるのを多数で追いかけて、取った者を今度はまた多数で追いかけたりすることが出来る。しかも人間は集団対集団での対戦まで出来る。典型が野球やサッカー、バレーボール等のスポーツである。これが出来るのは人が「第三者の目」を持つからであって、集団の中での己の位置の確認（定位）が出来ない限り、集団戦を成立させることは不可能だ。

これから分かるのは、集団対集団で戦う時に必要なのは集団の中で定位が出来ることであり、「第三者の目」の働きが必須になるということだ。人はこれを手に入れたことによって複雑なシステムの中でも何とか定位が出来るようになったのであろう。

このように定位することは我々が生きるためには必須なのだが、これに余りにも神経質になると、別の問題が生じる。

忖度（そんたく）や同調圧力、コンプライアンスがそれになる。余りに他者や社会と己の定位を神経質に捉えると、どうしてもこのような現象を起こして、逆に己の首を絞めることになるので、その塩梅が難しくなるだろう。

三部　人は何に従って暮らし、どのようにして行動するのか

日常における行動基準とはどのようなモノか

大方の人は無意識にせよ、何らかの己の居場所を求めているし、また生きる上では求めざるを得ないのが実情ではないだろうか。こうした事情があることから人は己の居場所を見付けて生きようとする。この居場所を求めて決めることを定位とも言い、ここまではそれをどのようにして決めているのかについて述べてきた。だが、この定位が決まったからといって、己の行動が自動的に決まるかというと、そうではない。定位が決まるということは、己の行動をどのように取るのかと強く関連するものではあるが、実際にはこの決めた定位を考慮しながら、いろいろと考えた上で己の行動の指針を決めているというのが一般的であろう。

このように人は定位に鑑みながら、己がどのように行動したらいいのかを決めて行動に

移す。他の動物の場合は、自然摂理に従った指令に則った行為をするだけなので、型にはまった行動や生き方になるが、人はそうではない。確かに人の場合でもこうした人の社会での定位や自然世界からの制限があるとは言え、他の生き物と比較すればずっと型にはまらない行動が出来ている。しかしそれは諸手（もろて）を挙げて喜べるモノでもないだろう。というのも、こうした自由な生き方が出来るのは素晴らしくはあるものの、己でどうするかを決めるが故に、大きな落とし穴が口を開けて待っていることもあるのだ。

問題となることの一つとして、行動を起こそうとする前に、これから何処に行くのかとか、どのように行動するのかをいちいち考えなくてはならないことがある。これをいつもするのが面倒なので、人は予め己の行動をどのように取るのかを大まかにせよ、決めてから行動するというのが一般的だ。このような己の行動の指針を哲学では格率（Maxime）という。こうした格率を無意識にせよ、誰もが持っていることを、これから順次述べていきたい。

もう一つの問題として、人は幾つかの選択肢を己で作ることが出来るものの、行動に移すにはその中の一つしか選べないということがある。このことから、その中のどれにすればいいのかという迷いが生じる。

要は、自然の摂理に従って行動するだけの生き物と異なって、人は次にどのようにして行動するのかを己自身で考えなくてはならず、なお且つ、そうして自由に考えて幾つかの行動の仕方が作れたとしても、その幾つかの選択肢の内の一つしか選べないことから、どれにするかで迷いが生じるのだ。

この迷いは人特有のものであって、人以外の生き物の場合は本能に従う型に嵌(はま)ったモノなので同じような迷いはあまり生じるものではないだろう。しかし人は生き物と違って迷う。選択肢は出来たものの、その中の一つをどのようにして選んでいいのか分からなくなる場合とか、上手く選択肢が見出せないとか、もっと酷くなると選択肢が作られたとしても、そのどれもが上手く行きそうにないとして、どうしていいのかと迷った挙句に自殺にまで行き着くこともあるのだ。

他の生き物は、思い悩んだ末に自殺したりはしない。人と違い、「第三者の目（客観視）」を持っていないので、己で選択肢を作れず、それが理由で深刻な事態に陥ることもないからだ。恣意的な行為が出来ない分、他の生き物に迷いは生じないし、また迷いがなければ深刻な事態にもならないが、その点で人は違う。迷った末に生きる方向が決められずに深刻な生き死にに関わる状況になることさえある。

但し、こうした深刻なケースが起きにくい日常の場合、すなわち些細なことしか起きないような酷い迷いが生じにくい生活では、人々はどのような暮らし方をして己の行動を決めているのであろうか。

誰しもが、たとえ平凡な日常生活の中であっても、己の行動は己で決めていると思いがちだが、実はそうでないコトが多い。確かにこれからどうするのかを己自身で考えて決めて動いているように思えるものの、そこまで己の考えでは行動していない場合が多いのだ。どうしてそう言えるのか。

逆に考えてみれば分かる。もし日常的なこまごましたコトであったとしても、その度に考えて物事を決めているとしたら、かなりの時間とエネルギーが必要になる。しかも一日の内に何回もそういうことをしていれば次第に疲れてしまう。だから、これを避けようと決まりきったルーティンを作ってそれに従って動いたり、世間的な常識や慣習に従って行動したりしていることが多いのだ。特に老人になると動くのが面倒になるのもあって、ついつい経験に基づいてそのように動いてしまう。それだからルーティンの行動が多くなる。また一般人であっても、己の考えで行動しているように見えて、実は他人や他の情報に影響されて行動している場合もままあるのだ。

人はこうした行動を取っているにもかかわらず、これを意識していないことが多い。意識していなければ、己の考えで行動しているように錯覚しまうからなのか、さらにこのカラクリに嵌ってしまいがちになる。

これにはいろいろ理由がある。

無意識であるにせよ、そうした行為をしているのは、まさかの時に備えての力を取って置くためにエネルギーを省こうとしている部分もあるのかもしれない。また毎回同じようなコトをするのに、いちいち新しく考えるというのも非合理的なのだ。むしろ、こうしたルーティンの行為があるのは妙なコトでも奇異なコトでもない。いくら人が発展して複雑化しているといっても、生き物が持つ本能的なエネルギーには限界があるのだ。

そんなバカなことがあるかという反論があるかもしれないが、要は誰しも無意識でやっているのであって、意識していないだけという話だ。慣習や先入観に従って行為する場合にしても、大きく見ればそれは一種の合理的な行為になると言っていいだろう。また、行為まで行かなくても、単に物事を見るという場合であってさえも、同様に己の考えでないものに従って見ているコトもかなりあるのだ。

民族から来る偏見

何故にそう言えるのかというと、民族や国ではそれぞれの慣習的な見方が普及していて、民族が違うと同じモノを見ていても、異なって見えることがあるという事例があるからだ。

これが如実に現れるのが、たとえば虹の色である。これが何色に見えるのかに関して、ある民族では三色に見え、他の民族では十数色にも及ぶという。民族が違うと虹の色も違って見えているということになる。こうしたコトは自覚して見ているのではない。慣習的に教え込まれていると言った方が良いであろう。無意識に見ているにしても実際には教え込まれて見ているということだ。日本では七色とされているが、科学的な調査から来た色数というより、昔から皆がそう見ているからというのが実情だろう。

こうした、人々がモノを見る場合に民族や偏見を通して見ているというのを指摘したのが哲学者ヴィトゲンシュタインになる。彼は言う。人はモノを見る時に多くを先入観や偏見で見ていると。つまり、例に挙げた虹にすれば、民族の先入観で見ている。言い換えれば、モノを見る時には何らかの枠が嵌められていて、その限定された領域から見ている場合が多いということだ。ヴィトゲンシュタインの言に従えば、民族だけに限らず、色々なコトにもこうしたことが起きていると。

　彼の象徴的な言い方に従えば、この見る枠が三角形の枠から見るのか、四角形の枠から見るのかでも、見えるモノが違ってきて限定される。無意識にせよ、それで見えるモノが他の民族とは異なっているのに、我々はそれが真実だと思い込んでいる。このことこそが、様々な諍いが民族間で起きる原因になっているのではないのかと彼は言うわけだ。

　虹のような日常的レベルの話であれば、いくら他の民族と違った見方をしていたとしても、大したコトが起きることはない。しかし、こうした見方の違いがあることが原因となって、戦争とか深刻な諍いとかの重大な事態に陥る場合も出て来る。特に隣国同士というのは人の隣人同士に似て、何かの問題を抱える場合がある。どうしても各々の先入観で物事を見てしまうので、民族や国家によって違った見方をしていれば、諍いを生じさせてしまっても不思議ではないのだ。

　例えば、日韓の諍いに関しても、互いに偏見的な見方をしていることが背景として存在するだろう。韓国は、歴史を振り返れば我々が日本に色々と教えてやったのに戦前には併合までして侮辱したと考える。それに対して日本のほうは確かに併合はしたが、これはソ連の脅威があったからだし国際的には承認されたものだ、しかも韓国に学校や鉄道をはじめとするインフラ設備を施したからこそ、今日の繁栄があるのではないかと考える。

こうした真反対の土台が考え方の基盤にある以上、ちょっとしたコトから大騒ぎになる。というか、現実的にそうした偏見に囚われた見方をそれぞれにしていて実際に争いが起こっているし、いつでもそれは起こり得るのだ。まさかと思っている内に大事になるところまで行って、ふと気づくと戦争までもが勃発してしまうことにもなりかねないから厄介なのだ。

新しいコトをする場合の迷い

いったん民族的な偏見の話はさておいて、「ルーティン」と「迷い」について話題を戻そう。ここで扱いたいのは、新たなコトに臨む際の「迷い」だ。

科学の領域における研究や、何か新しいコトをしようとする時は、こうした慣習的なルーティンに囚われていては何も進まない。新たな領域に臨む場合は、こうした偏見に囚われた枠から外れて、己自身の目で改めて物事を見る必要が生じる。こうしたコトを意識して、初めてブレイクスルーを得られるからだ。

科学的実証的に検証するとか、根本概念を変えるとかして、初めて新しい何かは生み出され得るし、これに成功すれば世の中からの評価も高くなる。偏見を捨てることで、いわゆる客観的な事実に基づく新しい見方を提案することが出来るのだ。当然のこと、こうした場合になると独りだけで考えなくてはならないので、それだけにどうしても大きな困難に遭遇したり、迷ったりする部分が出て来る。

迷いについて言えば、このように新しいコトに挑むとか、大きな仕事をする場合であるならもちろん起きても当然であるが、そんなに重大でない遊びをしようとする時でさえも人には迷いが生じる。いつもと違って目新しいことをしようとすれば、これまでの経験や考えが役に立たなくなって、その指針がないことから迷いは常に起きるものなのだ。

例えば次の日曜日に何処に行くのかにしても、いつもと違うコトをしようとすれば、先ずは何をするのかについて決めなければならない。一人で行くのなら己で決められるように思えても、幾つかの選択肢があることから、どうやってもその中の一つしか選べないのでつい迷ってしまう。例えば映画に行くか、友人と遊ぶかでも、どちらかに決めなくてはならない。ただ、映画ならどの映画にするかの迷いがあったとしても、一人であればそんなに面倒なコトは生じない。しかし友人と遊ぶとなると、友人の都合も聞かなくてはならなくて、面倒なことになる。

このように人は行動するときにそれなりに考えてから行動することがあるものの、既述のように、日常生活ではルーティンに従っての行動が多いのが実情である。思い付きとか衝動で行動しているように見えても、その実、常識とか慣習とかに則った行動をしている。言わば長年に亘って刷り込まれたものに従う場合が意外に多いのはこれまでに述べた通りだ。

子供の躾について

これが子供になると違ってくる。というのも、子供は単なる行為を行うにしても、他者や社会と関連することをあまり知らない。言ってみれば、動物に近い存在であり、やりたいような行動を取ったりして、無謀なコトをする場合がある。これに対して両親や学校が社会の中に住む人としての行為のあり方を教え込んで、その教え込まれた通りに生活するように行動するのが人の社会での一般的な暮らし方ということになる。

このように、元々、子供は何も知らないことから、人というよりも自然の動物に近いところから始めることになる。これを踏まえれば、小学校で子供が暴れたりするコトがあったとしても、子供等が人の社会の事情やルールを知らないだけのことになる。それなのに、自然権の概念や基本的人権の概念を持ち出した上に、子供には何の罰を加えてもいけないという拡大解釈をして、子供の権利が無制限にあるかのように言われる場合がある。しかし子供の実情は自然の中の動物に似ていて、その行動も未だ動物領域である部分から来るだけのコトが多いのに、それを無視するからおかしなことになる。

人々はこうした子供の行為が何処から来るのかについての事実認識をもっと確かめる必要があるのではないだろうか。とは言え、子供に教え込むといっても躾(しつけ)の仕方は簡単なコトではない。そもそも躾が難しいのは人の子だけでない。人の社会に入って暮らす小さな犬であってさえも同じであって、何の躾もしなくて人と共存させるのは難しい。

犬の躾にしても、乱暴に扱うよりは褒めて躾ける方が良いと一般的に言われるが、子供の躾も同じようなところがある。何も知らない子供への躾は難しいと言われる一例としては、時に若い夫婦が子を躾している内に行き過ぎて殺してしまうことも起きている。酷い体罰を介して躾をするのは論外なのは言うまでもないが、一方で躾は社会的に重要な要素でもあり、避けて通るわけにもいかない。

こうしたことを踏まえれば、学校で子供がいくら大暴れをしていても、また何をしても子供の基本的人権に関わるから躾をしてはいけないとしてしまったなら、躾が身についていない子供は結局は人の社会で生きて行けなくなる。いくら現代では基本的人権の名の下に子供の世界を尊んで、彼等の自由にさせて意のままに過ごさせれば良いという親が多くなっているとは言っても、人の社会で暮らすルールやエチケットを教えられなくなると、それは大問題だ。特に親が子の躾が面倒くさいので学校に押し付けるとか、躾が難しいコトからの言い逃れとして基本的人権を言っているとしたら、それこそ大事になってしまうのではないだろうか。

いずれにせよ、問題はこの「人権」の概念が日本では現実とは乖離（かいり）した巨大で抽象的な怪物にまでなってしまっていることである。躾にしても、エチケットを教えるにしても、この人権の概念を前にすると何も言えなくなってしまい、まるで黄門様の印籠のように有無を言わせずに従わせてしまうことになる。「人権」の肥大化のせいで、現代日本では何も躾が出来なくなるようなコトまで起きているわけだ。

例えば、子供が机の上を走り回っているのをやめさせたり罰を与えたりするのは、子供の基本的人権に反するとの主張がなされる場合がある。これは拡張された空虚な人権概念であるのに、そうした概念吟味を怠って中身がないままの神学論争にしてしまい、結論が出ないどころか、触らぬ神に祟りなしとなって、子供には何もしないことが良いと堂々と言われるまでになっているのだ。こうしたことから子供を矯正したり、教えたりすることが出来なくなって、学校自体をメチャクチャにしているのではないだろうか。

無論、人の子供なので、脳が発達していて動物とは大きな違いがあるのは認めるとしても、ちゃんと子供には人の社会ではルールに従った己の責任を伴わないと困ることが起きるという現実を教える必要がある。確かに子供は無辜(むこ)であって何も知らない。これが事実としても、人の社会で暮らすためのエチケットや責任を徐々に教えていくことは必要不可欠だろう。要するに、本能的な動物世界とは違う。人は、本能に従うといったような絶対的な自然摂理から離反して造った人工的な社会で暮らしている。放って置いても子供が自ずと理解出来るようになるということはあり得ないのだ。

当然のこと、人の社会は人の手で作ったルールやエチケットで構成されていることから問題も多々ある。そうは言うものの、今のところ、これを教えるしか他に方法がない。それなのに観念的な人権の概念をあまりにも過大に重視し過ぎるとおかしなことになる。第一、いくら観念的概念であってももともとは現実の問題から作られた理念なのだ。現実に当て嵌まらなければ何も機能はしないどころか、これが逆に問題を引き起こしてしまうことにもなる。

いずれにしても、子供も成長するにつれて次第に人の社会での決まりや常識といった色々なコトが分かって来るが、いつまでも従順に従っているわけではない。逆に思春期になって己に目覚めるや、今度はこうした社会的な決まりにはおかしな部分があるとして、反抗心を持つようになるのが普通なのだ。そうであるものの、大半はそうした思春期の一時的な反抗現象に留まり、次第に社会に順応して行く。もし人々がそれぞれにやりたいように行為したとすれば、人の社会の秩序は保てず混乱をもたらすようになるからだ。

社会システムの変化と格率

こうした混乱が生じるのは思春期の若者だけでない。社会システムに大きな変化があるときにはどうしても人々全体に問題が起きやすい。例えば日本では共同体社会がずっと続いて機能してきたシステムだったが、第二次世界大戦の敗戦もあって、社会システムが大きく変わった。とは言え社会は多くの人から成り立っているので、大半の人々に浸透して社会が変わり切るにはかなりの年月が掛かる。

実際に半世紀近くも要したものの、一九八〇年代になるとバブルになって弾けたこともあって、社会が混乱するという事態にまでなった。こうした激動が引き金になって、昔の共同体社会システムが現代の資本主義システムにかなりの程度まで取って替わってしまった。そうなると、今迄の常識や慣習が役に立たなくなって劣化が激しくなる。その結果、人々は何に則って行為をしていいのかに迷いが生じるようになって、様々な問題が起きたのだ。

しかもこうした移行で社会が変化するに当たっては、色々な処でズレが生じる。例えば共同体社会ではこれまでの慣習や常識に従っていれば大過は無かったが、それらが壊れて一種の無秩序状態になった結果、個々人が己で考えざるを得なくなった。また己の考えで行為が出来るとなると、身勝手な行為まで行えるような隙間が出来てしまった。

新しい時代の行動の指針の乱れ

この隙間には何もルールはない。そこでこれに乗じて人々の中には「己のしたいように行為をしてもいい」のが基本的人権に則った人の本来の姿だと主張する者が現れた。しかもこうした以前の慣習や常識に囚われない自由な行為こそが新しい時代を象徴するモノだと言われると、そうかもしれないと人々は捉えてしまう。しかもこう主張をする者が一種のヒーロー扱いを受けるまでになってしまった結果、行き過ぎを生じさせたのが一九八〇年代という時代だったのではなかったのか。

こうした新しい時代の動きの雰囲気を敏感に嗅ぎ取って行動に移したのが、自我に目覚めたばかりの思春期の若者達であった。己に目覚めたばかりの彼等である。これまでのコトに囚われない状況のまま、これから参加をしていく世の中がどのように動くのかを注意深く見ていたこともあって、彼等は時代の雰囲気を鋭く感じとってみせたのだ。

新鮮な嗅覚を持っていた敏感な中学生や高校生が、ここに出現した己のしたいように行為する者こそが新しい時代を代表するヒーローなのだと思い込むのに時間は掛からなかった。その結果、己のしたいようにすることが時代の最先端を象徴する行為だと是認して、それまでの先生の権威を否定するのが正義だという風に受け取ってしまった。

そこで起きたのが、中学や高校の授業中での私語の多発である。先生は陋習(ろうしゅう)に囚われた教え方をしている、これは時代遅れであるということから先生の権威が失墜したのだ。先生の権威がなくなれば、授業を聞かなくて良くなり、勝手に私語をしだして授業が成り立たないようなところまで行った。もっと行き過ぎると、集団で授業からエスケープして、外に遊びに出てしまい、先生方がこの子達を探しに行くのに忙殺されるような事態まで起きてしまったのが当時の現実の姿だった。

この事態と似た現象が起きたのが敗戦直後の教育現場だった。同じように今迄の常識や知識が通用しなくなったことで、それまで教えていた先生の態度が豹変したので、生徒が先生を信用しなくなって先生の権威が地に落ちて、混乱を来したのだった。

いずれにしても、こうした事態では先生の権威に反抗するモノだから正しい行為だということになり、皆に共有されるまでになったのだ。こうした雰囲気が蔓延してくると、忽ち全国に伝播して国の隅々まで及んで行って全国的に学級崩壊が生じてしまった。この現象は実は大学にまで波及して授業中に平気で私語をすることが流行る事態にまでなった。

虐めもそれに近いものであった。全国的に虐め現象が広まって中高生の自殺が起きるようになった。但し、虐めの場合では、先生の権威への反抗という要素は薄められたものの、先生からの干渉を拒否したところに権威への反抗という類似性があった。このことから先生の見ていない処で生徒が虐めをしたいようにするようになり、秘密裡に近い形で行われたので、当然のこと、先生は生徒が何をしているのかも分からず、またその権威への反抗という錦の御旗もあって手出しをしにくいことから、虐めが多く起きるようになったのだ。

　このように、新しい形へ移行しようとしている最中の人の社会では様々なひずみが起きる。虐めはその中の一つであって、新しい事態の出現だったものの、これをどう解釈して検討したらいいのかの時間が取れないまま、まあ、これはこれで今迄もあったようなちょっとした仲間争いや虐めぐらいだからいいだろう、大したことではないとして是認する雰囲気が生まれてしまった。このことが大きな問題にしてしまった一番の要因だろう。

　こうして先生が干渉出来ないとなると、生徒間ではこれはこれでいいのだとなってしまう。それでたちまちに我も我もと参加してしまう。もし今までの解釈のように、「人と動物との違いは理性を持つ点だ」ということで、理性だけを基準にして動くというのならば、決してこうした虐めは起きはしなかったであろう。

　しかし実情は逆であった。

　元々、人は恣意的に動こうとする。こうしたことから、周りの雰囲気に取り込まれやすい。ということは、「もっとやれやれ」と参加する方を選んでしまうことになる。これは人が恣意的に周りとの定位を測っていることからそうなるのだ。つまり、周りにそうした是認の雰囲気が出て来ると、それまでの己の定位が崩れてしまい、その雰囲気に抵抗出来なくなる。これは理性があるとかないとかいうよりも、この雰囲気に嵌ってしまうのが恣意性を持つ人特有の現象だと言える。恣意的な参加を容易にして、集団行動を助長してしまうのだ。

　この雰囲気というのは、前章で触れた集団の中で己の位置を定める定位の作業に大きく影響する。というのも、人は己の位置を常に集団の中で考え、自分がどのような位置にあって、どういう行動をしたらいいのかを無意識にせよ、決めて行動をしている。それでこの集団が激しく動き出せば、その中にいる己の位置も変化を蒙（こうむ）り、変えざるを得なくなるのだ。

　逆に虐められる側にどうしてなるのかと言えば、集団との定位が上手く出来ていなくて周りに馴染めず孤立しているとか、またちょっとした甘えから、己のやりたいようなわがままを通してしまうことで周りとの定位が上手く出来ず、周りとの齟齬が生じることで、周りから面白くない奴として見られて、虐めが発生するようになるのではないか。

　いずれにしても、こうした周りとの定位から虐めが生じるものの、最初の虐めではＡがＢを虐めていて、一対一の個々人の関係でしかない。ところが、そこへＣやＤが加わって来ると状況がまるで違って来てしまう。集団の中の雰囲気にこの虐めが取り込まれてしまうことが起きるからで、近くにいる他のメンバーも己の定位での位置関係を変えざるを得なくなる。こうした連鎖が繋がって行き、虐めに多くの者が加担してしまうようになるのであろう。

「格率」と集団との関係における不安さ

集団の中で生きる我々はこのように無意識にせよ、集団の持つ雰囲気に左右されている。これに逆らうのはかなり難しい。それは言っているように人は集団と己との定位を決めているからで、集団の雰囲気の力の方が個人の力よりもどうしても強い。このことから、集団が個々のメンバーに働き掛けて従わせる状況になると、抵抗出来ないことが多くなる。

無論、最初の一対一の内なら集団の力はそんなに強く働くものではないが、一人、二人と参加して小集団になると、少し強い力を持ち始める。またこの小集団が個々のメンバーへの働き掛けをしてくると、たちまち全体にまで行き渡るようになる。こうして集団が次第に大きくなって最終的には私語が蔓延したように国全体にまで及ぶようになる。こうした処までになるのには、かなり特殊な場合になるものの、そうなれば殆どの人が抗えなくなるから怖い。

この例をもう一つ挙げれば、日本の第二次世界大戦での軍事独裁政権がそれになろう。国がこうした雰囲気にまでなってしまうと、その中では個々の考えを押し通すのはかなり難しくなる。それを敢えてなびかずに己を貫き通すことが出来た人というのは、かなり少数派でしかない。

一般的に言えば、こうした場合では己の格率がしっかりしていなくてはならなくなるが、この状況を端的に示したのがハイデッガーになる。このようなしっかりした格率を持つには、己の行為にはしっかりした企画（Entwerfen）を持ち、それをするという決意（Entschlossenheit）を決めていなければすぐに流されてしまうと。しかし皮肉にもこれを主張したハイデッガーが当時のヒットラーの純ドイツ民族という抽象的概念に惚れ込んでしまい、ヒットラーの政策に参加してしまった。彼そのものがヒットラーという集団の中の賛助会員となってしまったわけだ。

こうした集団の圧力に抵抗して、己の格率の通りに行為が出来る人達は己の行為の基準を己の中にしっかりと確保していたからであって、これを強い格率という。但し、こうした第二次世界大戦のような特殊環境の中でも己の強い格率を守って、その通りに行動するというのは一般的にはとても難しい。それというのも、この潮流に抗うと当時では「非国民」のレッテル貼りをされて苦しい立場になっただけでない。逮捕されたからだ。もっと言えば、このレッテル貼りが集団の力を考えられないくらい強める働きを果たすことになったのだ。

しかし日常生活レベルではそんなに問題は起こらない。先入観や常識や慣習からの影響があるにせよ、また緩い形にせよ、それぞれが己の緩い格率に従って行為していて、決して世の中の雰囲気にどっぷりと取り込まれて、それだけに従って行為しているのではない。部分的にせよ、己の生き方で暮らす部分を持っているのだ。もし社会の雰囲気だけに人皆が全面的に従うのなら、他の生き物と同じになって、それは一種の疑似集団本能行為になってしまう。独裁政権を別にして、そこまでは行かないのが普通である。己の格率に従っているからで、部分的にせよ、各自が独自の動きをしているのが「人」という存在なのだ。

格率は誰もが持つ

こう言うと、そんな大それた格率なんて持っていないと言われるかもしれないが、殆どの人が緩い格率を持っていて、それに従って行動をしている。もし格率がなくて動くとしたら、慣習とか常識に従って、皆がするように行動をするしか他に方法がなくなる。「いや、違う。私は動きたいように動く」という人がいたとしても、それは動きたいように動くというルールを己の格率にしているだけなのだ。

もしそうした己の格率を持たずに行動しているとしたら、本能に従って動くだけの動物と同じになり、人の社会の住人ではなくなる。もっと言えば、もし何も格率を持たなくて動きたいように動いていたら、知の集積社会の住人である我々は生きては行けない。これが現実である。

例えば東京。何も考えずに動きたいように動いていたら、暮らしが成り立たない。何処に暮らすにしても、それなりの決まった行動を決めていないと不可能になるのだ。第一、網の目のような地下鉄での移動は出来ない。またこれを知らないと食べるモノも手に入らないし、住む住居も手に入れられない。人の社会の暮らし方を己の格率に何らかの形で埋め込まなければ暮らしが成り立たないのだ。

こうした慣習や常識を己の格率に取り込むのかどうかは自由であるものの、一般的には己の格率は社会的慣習や常識との調整を済ませたものにしている。しかしこうした社会的な常識とか慣習の持つ力が弱くなると、個人への締め付けが少なくなって利己的な格率を作っての行動がしやすくなる。それぞれの格率が身勝手なものになり得るからで、現代日本はそうした環境に入ったままと言えないだろうか。

無論、中国とかロシアや北朝鮮のような独裁政権では逆であって、個人の自由は制限されて、独裁者個人の意思に左右され翻弄される。当然、個人の格率も強く制限されて、自由行動が出来る範囲がとても狭くなる。

社会的地位と承認欲求

集団の中で己を定位したり、己の格率と集団の規制との調整をしたりして人は暮らしているが、実はこの定位とか格率の調整は集団からの承認欲求とも深く関わっている。日本のように表面上、階級制の無い自由空間の中で暮らしていると、自由なだけに何事も独自に決められるものの、独りだけだと不安になって上手く安定が得られない。こうしたことがあるので、どうしても集団の中での己の位置を確認したり（定位）、己の行動基準（格率）

が集団の慣習とか規制と酷く乖離していないのかを確かめる必要性が生じる。

もしそうしていないとするのなら己の定位や格率が不安定化するわけで、この調整こそが個人の安定性確保に必要になる。逆に見れば、集団から己の定位や格率が認められて承認されるということは、己の立場の安定感を獲得出来ることでもある。

これが承認欲求を満たすことになる。

承認欲求の充足は、本能を凌駕した人間が人の社会の中での個人の安定化を獲得するのに役立つものになる。見方を変えれば、本能とか自然摂理の中での安定感を失った人間の拠り所となるモノが集団からの承認欲求を満たすことであって、社会から認定されることと言っていいだろう。無論、これが表に如実に現れなくて見えない場合もあるものの、各自が承認欲求を満たして拠り所を得ようとしていることは間違いない。

端的にこれが満たされているのが社会的地位である。高い社会的地位に就けば、誰もがその人の存在を認め、リスペクトしてくれる。逆に見れば、そうした社会的地位によって、いわば己の定位や格率は自動的に定まってくる。というか、たとえその地位に相応しい能力と人間性を持っていない人であっても、こうした社会的地位が自動的に承認欲求を満たしてくれる。これがあるので、多くの人が高い社会的地位を望んで、それを獲得しようと努力を傾けるということが起きるのだ。

しかし先に述べた通り、実は人の社会に於ける高い地位というのは、一面では能力というよりも慣習的な世俗的レベルであることが多い。というのも、そうした社会的地位の高い人が収賄や悪事に手を染めることが往々にして起きるからだ。

こうした悪事にまで手を染めてしまうか、しないかは別にして、社会的に認められた地位を求めたがるのは、こうした承認欲求が自ずと充たされるからであろう。しかし現代ではそう単純ではなくなっている。そこで高い社会的地位を求めるというよりか、己の生き方の方を重視して、もっと己のしたいことを自由に選んで自由に生きたいと思う人が多く出て来ていると言われる。つまり、責任が被さる地位の役職であるこうした社会的に高い地位を目指すのを拒否して、己の力だけで社会からの承認欲求を満たしたいとする人が現代では多くなっていると言われる。これには様々な分野があるが、起業家や専門職人、芸術家や研究者もそれであって、こうした人達は社会的に高い地位を目指すというより、己の作る作品や研究の完璧さに満足を見出そうとしていることが多い。とは言っても、社会的に承認されれば心強い支えになるので、これが相変わらず人の社会での要点になっているのであろう。

重力と人の思考との関係

実はこうした社会的な地位を人々が求めたり、または認められてはいるものの、実はそこには重力が関係しているのではないかという説がある。本当なのかと思われるかもしれないが、面白い事象が現れるのが無重力状態の中で確かめられているという。

これは、宇宙船に三回も滞在して帰ってきた野口さんが述べられたことである。というのも、彼に言わせると、無重力状態では何もやる気が失せてしまうという。こうなると動きが鈍くなるものの、何もしないようになるからなのか、心の安定感はあるという。言ってみれば、地球上にある社会的に込み入った上下関係が消えてしまうのだと。要は、皆がある種の平等状態になり、宇宙船のメンバー同士も一つの輪のような上下関係がないモノになるという。

生理学的に言えば、我々は耳石で重力を感じている。しかしこれが全く感じられなくなると、どのようにして行動し、またどのように考えたらいいのか分からなくなるらしい。こうした状況になっても宇宙飛行士の中には地球以来の記憶があって、こうしろと言われた仕事の記憶のおかげで、なんとか無気力を乗り越えて指令された元々の役割を果たすことが出来る。とは言え、実際はかなり無気力になっているという。

こうした重力のある、無しの違いがどのように生き物に影響を及ぼすかをこれまでも線虫（人とＤＮＡで七十％が同じだという）を使って、真空状態を作って実験をしていた先生がいた。そこで実際に宇宙船でもこれを試してもらったらしい。無論、その前に地球上での研究がなされていたので、それとの比較をして確かめようとしたのだ。要は、線虫は重力のある場合では活発に動くが、真空の無重力状態では動きが鈍くなるということが分かっていたので、実際の宇宙空間でも同じことが起きるのかどうかの実験だった。事実、彼等線虫は地球上では何らかの重力を感じて抗い、動こうとするらしいが、宇宙船では無重力状態なので、動こうとしなかったのが確かめられたと。

これにはドーパミンが関係しているらしい。ドーパミンとは快楽を感じるとか、意欲が出るといった神経物質であるが、地球上では重力に抵抗しようとして線虫にドーパミンが出るものの、宇宙での無重力状態では重力への抵抗がないのでドーパミンが出なかったという。だから、宇宙空間では線虫も動こうとしないし、人でもやる気を失うというのだ。

そのせいで宇宙船での生活には色々と難しいことがあるらしい。例えば、睡眠にしても普段は体に重力を感じているから寝ることも容易に出来るが、無重力状態では中々、難しいらしく、色々と工夫をしていたようだ。

これは人によって違っているらしく、ある人は何かを背中の下に置いて抵抗物を感じて寝るとか、逆に上から重しで圧力をかけて抵抗を感じて寝るとかがあるらしい。つまり、何らかの抵抗を感じていることが寝るには必要になるらしい。また足を曲げて寝る人がいたが、宇宙船ではこれが自力では出来ない。そこでゴムとかで縛って寝たという。

このように、宇宙での生活は地球上とはかなり異なっているようだ。それを知ってか、知らずか、イーロン・マスクのように、この宇宙生活を可能にしようと言う人も出て来ている。彼は宇宙への進出を第二の進化への道だと唱えているのだ。つまり、我々の先祖は海から出て、地上での生活に挑戦して成功した。これが第一段階だが、次は地球から宇宙の何処かの星に進出して進化を加速させる段階に来ていると。

こうしたことから人類には二つの道があると彼は主張する。一つは地球に留まっていつか太陽が消滅したり（およそ五十億年後）、他の星雲との衝突があって（七十億年後）地球がなくなったりするまで待っているか、もう一つは宇宙に出て行って何処かの星で生活するかのどちらかになるだろうと。それはそうであるにしても、人類は生まれてから、高々、七百万年ぐらいであって、億年単位で生きた恐竜にも達せずに、戦争での原爆使用で自滅する可能性の方が高い。なのに、それはないだろうという意見もある。

こうした様々な問題があるものの、宇宙空間に行けば一つの良いコトが生まれるのも確かであろう。それは宇宙に行くことで無重力を体験して、社会的地位とかそれに対する欲望が真にバカらしくなったり、また人々が地球を宇宙からの視点で考えられるようになったりすれば、地球上での争いが全く無駄で空しく思えて終焉する方向に行くかもしれないからだ。本当にそうならば、プーチンを宇宙船に乗せて行かせるのが戦争を止めさせる早道かもしれない。

我々はどのようにして生きる指針を獲得してきたのか

生きる指針としての格率について改めて言えば、動物レベルでは個々が持つというのはあり得なくはないかもしれないものの、事実としては動物は自然摂理に無条件に従っていると言っていいだろう。己で生きる指針を作る必要がなく、本能に従うコトが殆どになるからだ。

例えば熊の場合、秋になって栗の実が熟した時期ならば何処に行けば良いのかがほぼ決まっている。熊のレベルでは次の指針は決まっている範囲の中での狭い選択肢から選ぶことになるであろう。但し、不作の年に探しに探して里に降りて来て、人の食べ物や野菜の味を覚えてしまい、問題を起こすこともあるだろうが。

しかし「第三者の目」を獲得した人では全く違う。未開な時代の食糧探しにおいては、過去にあそこに行ったが、今年は見たところ、栗の花の咲き具合が良くなかったから、全く別の処か、全く未知の処を探すのが良いかもしれないとして、他の選択肢を多く作って、様々に検討しだすだろう。もっと進めば、栗の木の生育が全体的に良くないので、別の実を探した方がいいのではないのかといった全く別の選択肢まで増やして考えることが出来る。それだけでない。知人と情報交換をして何処にどのような実がなっているのかとかを知ろうとしたり、栗が駄目なら動物を狩る方へと方向転換して、それに協力してくれないか打診したりといった検討がなされるようになる。

このように、人だけは過去の経験を蓄積して、次に進む方向を検討して知人と情報交換し、選択肢を増やして生き方を多様化させることが出来たのだ。もっと言えば、木の実や動物の狩りだけでない。植物を人の手で植えて育てたらもっと育ちが良くなって毎年、安定した収穫が多く取れるのではないのかと考えたり、動物を狩るにしても狩人のグループを作って効率良く獲物を狩る方法を編み出したりもする。また動物にしても、狩るのではなく育てれば、もっと効率良く安定した肉を得られるのではと考える。こうして人間は植物の穀物化や動物の家畜化へと進んで、かなりの安定した収穫を得ることを可能にしたのであろう。

こうしたコトは、個人の生きる指針というよりも、集団としての指針を作ることで実現された。その際は、協力と互いの助け合いのパターンを幾つか作り上げるコトが重要になったと思われる。というのも、一旦、一つのパターンが作り上げられて安定がもたらされると、皆、我も我もとこうした計画に参加しようとするからだ。まずは初期段階に成立した素朴なパターンを基準にして、集団としての複雑な指針が作られ、皆もそれに従うようになったのだろう。しかしこれはあくまでも原初での出来事である。人が動物と違って、人工的に集団を作るのに成功したのは、お互いの協力と助け合いが生んだ結果である。やがて集団の力はますます強くなったことであろう。このようにして人は集団での結束を強め、生きる指針を集団の中に作って発展したということだ。

孤独と老人の問題

こうして集団が発展して行ったにしても、その中で独りだけで孤立していたのでは出来ないことが多い。結果として、個人にとっての集団や周りとの定位の重要さが増すことによって、人の社会というモノは発展したのだろう。このことを象徴するのが、人は原則として孤独を嫌うということだ。独りだけの生活になると何もかもがうまく出来なくなって、気力喪失の状況に陥ることも多い。こうした孤独の状況は、先に述べた無重力状態にいるのと同様の感覚になるからではないのか。独りだけで孤立してしまうと、集団との摩擦が生じたり、いざ集団からの承認を得ようにも、集団との関わりがなければそれも出来ないといったことから、無気力状態に陥るのであろう。

要は集団との摩擦にしても、承認欲求を満たすにしても、集団に参加するということ自体が何らかのドーパミンを出すことにも繋がるのではないか。しかし独りでの生活では摩擦も生じないし、何処からもこうした承認欲求の充足は得られない。そうすると、いつしかドーパミンも出なくなって無気力になって来る。

独り住まいになった老人の老いが急速に進む場合があると言われるのも、ドーパミンが出なくなるのが原因の一つではないか。現代は少子化時代であって老人が溢れていると言われている。一般的には仕事を辞めて自由になった後はその自由を享受すればいいと考えられているが、実際はそう簡単ではないようだ。皆が皆、そんなに上手くは行ってはいないというのが現状のように思われる。

事実として、現代では寿命がドンドンと延びていて、退職後に多くの年月と自由を持てる。ということで色々なコトを楽しんだり、経験が出来たりする可能性が生じたのは事実であるが、退職したら、ああしよう、こうしようと計画していたとしても、その出来るコトを全てしてしまえば、後はすることがなくなる。こうしたことが往々にして生じている。例えば旅行にしても、行ける処へは全て行ってしまっているという人もいるのだ。というか、既に旅そのものに飽き飽きしてしまっていて、もう行く処がなくなっているとか、行く元気も出ないという人達も既に多くいる。

この自由をもっと有益に用いるにはやはり、社会的な構造変革が求められているのではないのか。無論、老人の方でも意識改革が必要なのも確かであって、もう一度、しっかりやろうという気力を持つことが必要になって来る。

こうした事情があるにしても、現代では医学の発達から老人になってもピンピンしている人が多い。これらを前提にして、社会を構成する必要に迫られるであろう。端的には彼等に何らかの仕事を持たせるコトであって、そうすると集団の中の一員になることから社会参加が出来ることになる。これにより社会との定位が再び出来て安定する。やはり何かしらの仕事をし続けることが老人にとってはかなり重要なのではないだろうか。こうすれば、老人でもドーパミンが出て来て生き生きし、病気にもなりにくくなって、社会保険が切迫するという状況も解決するかもしれない。無論、人それぞれであって、働きたくない人もいるだろうが、多くの老人は仕事を必要としているのではないだろうか。

問題となるのは、日本では一律に退職年齢を決めていることだ。全ての人を何も動けなくして痴呆の老い耄(ぼ)れにしようとしている制度だと和田秀樹精神科医師が言っているが、彼の言葉はこうした実情を示しているのだろう。しかし、このように何でも一律にするというのは日本の官僚がいかにも好きそうなコトである。というのも、年齢で一律に施行すれば文句を付けようがないと考えるからで、行政機関としては実行しやすいのだ。

しかしそれにしても、現状は人に拠って大きく違ってきている。壮年時代に酒を毎日、浴びるように飲んでいた人は、六十を越えるとヨボヨボしてきているが、健康な生活をしてきた人は九十歳になってもピンピンして働くことが出来るといった状況が既に現れているのだ。

このように、何でも一律に施行することによって、社会に齟齬が生じて問題が起きる。それは行政が一昔前からある法律や条例に従って、お決まりの前例主義に囚われているからだろう。現代の先進国では年齢で差別するのは基本的人権に反するとも言われる。このことがあるので、年齢を聞いたり、それで差別したりが出来ないコトが多いという。例えば知人であるドイツ人教授の二人は八十をとうに越えているのに大学で教えているが、日本では違う。

もっと典型的な例が運転免許証にある。ここには同様の問題が最も顕著に現れている。七十五歳以上になると、痴呆症の検査をはじめ、幾つもの検査を強制されるが、これも憲法に違反するのではないかとも言われている。こうした一律での規定は個人の人格を傷つけるからで、先進国ではこうした差別的な検査は殆ど行われないという。

こうした老人を老い耄れ老人に追い込んでいる要因は、マスコミにも責任があろう。というのも、日本では老人が交通事故を起こすと、一斉にマスコミが激しく報道する。それなので、あたかも老人層がいつも事故を起こしていて事故率が高いと思われがちだが、年齢別事故率を見ると、一概にそうとも言えないようだ。

こう言うと、老人の起こした交通事故は悲惨なモノが多いという反論がすぐに来る。しかし、衝突回避の機能やアクセルとブレーキの踏み間違いをした場合にそれを防ぐことが出来るような仕組みの車を作れば何も問題は起こらない。それなのに、何故かその方向へは行こうとしないのだ。

テクノロジーが発達した現代である。こうした車が出来ないとは思えない。もしこうした車が沢山生産されれば、そんなに高いモノにはならないだろう。これをせずに、一律に年齢で差別するのはどうかと思う。特に山間地域では車は必須であって、足が弱った老人にとっては必要欠くべからざるモノであるのだ。

当然のこと、老人が車に乗るにはこうしたテクノロジーを備えた車の義務付けが必要になるが、それだけのお金がない老人でどうしても車が必要な人の場合には、政府の補助金を付けるとかの方策をとればいいのではないだろうか。このように考えれば、幾らでもやり方はあって、老人が社会参加出来れば、彼等もドーパミンが出て、健康にも良い影響があり、医療保険での出費も抑えられれば、どちらもがハッピーになれるのではないだろうか。

これからの時代、こうした老人対策を真剣にやらないと、人口減少が急速に始まっている日本では雇用人口も減少していて、問題がドンドンと深刻になってしまう。これまで通りの発想ではどうしても前例主義に陥り官僚的な守りに入ってしまっていて、やりようがなくなり、どうしようもなくなっている。とにかく、発想の転換が必要なのだ。

単に安易にお金を配って与えるとかいうのではなく、老人が動けたり働けたりする制度を整備して、生き生きとした生活の中でドーパミンが出るような社会に変革していく政策を考える時期に来ているのではないだろうか。

孤独と若者の問題

老人のことを縷々述べたが、孤独を嫌うのは老人だけではない。人全てであろう。これがどうしてそう言えるのかは既に述べたが、もっと言えば人はロビンソン・クルーソー的には生きて行けない。というか、もしロビンソン・クルーソーのように生きるとしたら、再び自然摂理に従った生き方をしなくてはならなくなる。今となっては無理な話なのだ。というのも、ここまで人の社会が発展して、しかもその一員としてしか生きられないようになってしまったからには、極端に頑丈な体と自然の中で生きる術を持っている人しか、密林や孤島での暮らしはあり得ないことになろう。

特に文明をこれだけ享受している現代では到底、無理である。こう考えてくると、人には集団や社会の一員になって働くのは必須なのであって、社会と孤立した人が多くなれば、大きな問題が起きるのは不思議でも何でもないことになる。

孤独が深刻なのは、老人だけではなく若者にも関わる問題だ。むしろ彼等が孤立してしまう場合にもっと深刻になるのだ。というのも、老人の場合は年を取ってそんなにエネルギーが余っていないのが普通なので、問題を起こそうにも力も無くなって、大きなコトが出来るものではない。しかしまだエネルギーに溢れている若者の場合は、もしも孤独になってしまうと、そのエネルギーを持て余してしまい、これをどのように扱っていいのかで苦しむようになる。

例えば、人との交際が苦手な人のケースでは、勤めたとしても仲間や集団に馴染めない。集団に入って行かなければ、周りもその人を無視するし、その人も己の行動指針となる格率を作るにしても、周りとの定位もあまりせずにその人の中だけで作ってしまい、社会との調整をせずに行動してしまう。無意識にせよ、身勝手な格率を作ってしまうことになる。

たとえ与えられた仕事を独りで黙々とこなしていたとしても、集団との連携無しには人の社会では通用しないことが多い。それで時に集団との齟齬が生じてしまうことが起きるから、諍いが嫌になって次々と仕事を変えるようになる。何回も似たような目に遭っていると、もし上手く行かないなら、さっさと仕事を変えることが常になる。これが癖になり、余計に孤独を好むようになってしまう。そうなると、当然のことだが出来る職種は決まってしまい、働き口は狭まって行く。また転職を繰り返しながら歳を経ると、さらに仕事が見付かりにくくなる。しかしそうであっても生きるには仕事が必要であって、仕事を得るには、やはり人間関係が重要になるが、中々に上手く行かない。次第に自分は社会から必要とされない人間ではないかと考えたり、いらない者ではないかと思えてきてしまうのだ。

ここで問題が起きるのは、人本来の持つ社会からの承認欲求が満たされていないからだ。こうなると、次第に周りの人間が疎ましく思えるようになるものの、暮らしていくにはどうしてもお金が必要であって稼がなくては生きて行けない。それで一応、我慢して働き続けるが、何かのちょっとした諍いが起点となってトラブルになり、事件が起きて辞めてしまう。

こうしたコトが何回も続くと、いくらエネルギーのある若者でも生きようというエネルギーの不足が生じる。生きていても仕方ないから死のうとするが、既にエネルギーの不足があることから死ぬだけの力も残っていない。それと生き物が本来持つ生への執着から来る死の怖さもあって、自殺しようにもそこへと中々、踏み切れない。

どうしたら死ねるのかと思いを巡らすようになると、やがて他者を殺せば死刑になれるという短絡した考えの格率に至る。ここには承認欲求の持つ逆の負の面が表に現れるのだ。つまり、承認欲求は普通だったら他者や集団からの何らかの承認の形で満たされるはずなのに、これが出来ないケースになると、逆に他者や集団への憎しみを持つようになる。直接的で具体的な他者への憎しみではないのに、他者一般を対象とした抽象的な恨みが現実味を帯びてくることになる。

これが起きるのは、承認欲求というのが大体において「一対多」からのものであることが多いからだ。普通の場合なら多数というのは多くなると具体的に捉えられなくなって、ある意味では抽象的になりがちになる。しかし圧力を敏感に感じるという弱者からすると逆に現実味を帯びることが生じる。実際には相手は誰々という具体性が既になくなっているのに、彼の脳内では多数の他者は抽象的なモノというよりか、イメージのように感性的に己に向かって来るように思えてしまう。それでそこから承認されないという負の感情が湧いてきて、とても具体的なモノに感じてしまう。ここでの多数の他者は社会であったり、不特定多数の群衆であったりするからこそ、通り魔事件が起きるのであろう。

一般的な殺人は特定の人への何らかの憎しみがあって起きるものだが、この場合では己以外の全ての人が対象になる。こうしたとんでもない飛躍をするのも、逆に人が社会の中での定位をすることで安定をもたらされるという経緯があるからであろう。それなのでどうやっても定位が上手く行かなければ、憎しみの対象が特定の他者ではなくなり社会全体に向かうことになる。本来なら抽象的な存在である筈の不特定集団の群衆が、憎しみの対象に浮かび上がってしまうということが起きるのだ。

こうしたケースが現代では度々起きるようになったのは、資本主義システムが利益を重んじる余り、人であっても物扱いをするようになったこともあろう。このコトを端的に示すのが、パートや派遣社員の扱いがバランスシート（貸借対照表）上ではいつでも取り換えが可能な備品項目に分類されていることである。ということは、いつでも交換可能な物と同じであって、当然のこと、集団からの承認欲求が満たされるとか、満たされないとかのレベルではなくなっている。無論、そこに人としての尊厳のある立場はないので定位というのが成立しなくなり、単なる物扱いになっている。人としての意思のある場所ではなくなっているので、ただの物やマシン扱いであって、定位を行うという人間関係はもはやそここにはないのだ。

　これから考えられるのは、人口減少に伴ってロボットや自動機械が取って代わって行き、雇用関係が奪われるという問題だが、このレベルでの雇用の欠如なら、元々が人を物扱いをしていたので、ロボットに置き換わる方がまだずっと良いという考え方も出来る。

　もちろん、ロボットが導入されれば雇用が少なくなるのは問題だ。しかし複雑なマシンを動かすにしても、これがもっと発達していけばそれほど高い知識を必要とする部門ばかりではなくなるだろう。だから、問題は別の所に行くことになるのではないか。

　よって、このようなシステムへの移行を政府が適切に整備して発展するように考えて行けば、逆に通り魔事件のようなコトは起きにくくなるのではないだろうか。ものは考えようであって、こうした危機を人類は何度か経験して乗り越えてきたのだから、皆で考えれば良い案も浮かぶのではないかと思う。

平等概念と身勝手な格率について

　ここで人の格率はどうやって作られるのかに話を戻そう。今まで述べてきたように、いくら個人が生きる指針としての格率を自由に作れるようになったと言っても、社会との調整をしないと人の社会では生きて行けない。なのに、現代では身勝手な格率がどうしても作られてしまいがちだ。こうした格率から異様な問題が起きてしまう現象について見てみたい。

これまでも述べたように、そこには様々な理由が考えられるだろうが、こういう提案は如何であろうか。一つには、人々に無責任な自由がある現代にこそ問題があるという考え方だ。それというのも、どの時代であっても、またいくら自由に格率を作れた階級の人々がいたとしても、やはり世の中の動きを無視しては格率を作ることは出来なかったのではないだろうか。例えば江戸時代の為政者側の武士階級であっても、武士階級に特有な縛りとの調整は避けて通れなかったのではないのか。

そうだとすると、現代では社会との調整をそんなに配慮しなくても己の格率を作れることがすべての根源と言えるのではないか。いくら自由な現代であっても、必ず世の中との調整はしているはずである。なのに、どうしてここまでの身勝手な格率を作れてしまうのか。こうした状況からすると、こうした身勝手な格率がやすやすと作られているとなれば、調整の対象である世の中がおかしいからという理屈になるであろう。

では、現代の世の中の何処がおかしいのだろうか。一つ考えられるのは、世間的な常識の弱化が起きたことから、己の作った格率との調整の必要性があったかつての世の中とは違ったものになってきた部分はあるということだ。

では、常識の弱化が起きたまではいいが、どうしてここまでしたいようにするという妙な世の中の動向が生じたのか。

その原因は世間常識だけなのか。そうでないとしたら何なのか。

一つ言えるのは、平等の概念の混乱にもその一因があるということだ。平等とは皆が同じようであることだが、この何処がおかしいのか。つまり、平等の概念が今どのようになっているのかをハッキリさせる必要がある。

一般的に言われているのは、平等には二通りの解釈があるという。一つは文字通りの皆が平等であって、一律に機械的に平等であることだ。もう一つは機会の平等であって、誰でも機会は平等に与えられるべきという平等になる。要するにこの機会の平等は生まれとか、環境で差別されるのではなく、誰にでも何処にでも挑戦できる機会があるということになる。例えば高等教育を受けられる機会は誰にでも開かれていて、金持ちとか特殊なコネがないと行けないのではなく、誰でもその試験には受けるチャンスがあるというのが機会の平等になる。

最初に挙げた一律に皆が平等であることだが、これを世の中に成立させるのが難しいのは容易に分かるだろう。というのは、人は一人一人に違いがあるからだ。それは単純な走りであっても、何も練習していない小学生ですら、歴然とした差がある。背の高低でも、顔の美醜でも差があり、むしろ同じような人が存在しないのが普通であって、いくら同じ人を探そうにも探すのが難しいのが現実なのだ。

要は全く同じ人というのはあり得ないと言えるのだ。他の生き物の蟻とか蜜蜂とかならあり得るかもしれないが、これだけ多くの、しかも複雑に発展した遺伝子を持つ人にあっては、様々な点で違いがある遺伝子を持つのが普通なのだ。それに人と言っても、少し狭くした分け方で男女というだけでも大きな差がある。例えば走りとか筋力になると、特別な人を除いてそうした男女差は歴然としてある。

逆に全く同じような人がいるというのはあり得ないことになる。それは双子であって遺伝子がよく似ていたにしても、生まれてからの努力する精神力にしても違ってくるし、また環境が違ったりしたら、もっと大きく異なってくるからだ。全く同じ人というのはあり得ないことであろう。

これが事実だとすると、人が平等であるというのはどういうことを言うのかになろう。これを満たすとなると、結局は基本的人権での平等ということになるだろう。機会の平等を皆に与えるのもそうだが、基本的人権がその原点になるとすると、世の中に存在する人々をこの点で皆平等に扱うことが重要になる。しかしこれを実行するのはかなり難しい。というのも、遺伝子の差がそこまでないとしても、努力精進してやった人と怠け者でブラブラしている人をいくら基本的人権に於いてにせよ、同等に扱うというのは難しい話になるからだ。

問題は基本的人権の概念の捉え方になる。これからすると、日本で言う基本的人権は基本的に単純で一律且つ機械的に平等に扱うことを指し、これが重んじられていることを前提にするので様々な問題が生じているのではないだろうか。即ち、日本では基本的人権という時は一律に扱うのが良いと思われていることから問題が出て来ているのではないのか、ということだ。

確かに基本的人権のレベルにおいて、このように機械的に平等な扱いが出来るのなら、それに越したことはないが、既述のように遺伝子にせよ、努力精進にせよ、人は全く違う。このように平等に扱うコトが最初からとても無理な話なのに、これを維持しようとしている代表例が学校教育ということになる。

　それというのも、学校では全ての子を基本的人権の概念から平等に扱うのが良いとするので、そのためにはクラスのほぼ全員が分かっていなければ先に授業を進めてはいけないという鉄則が存在する。だからではないが、義務教育では落第は絶対にいけないことになる。ここで出て来るのが抽象的概念である基本的人権になる。要するに生徒を落第させるのは基本的人権に反するからだとなる。しかし外国の教育には、こうした概念解釈とは正反対の考え方が一般的なところも実際に見られるのだ。

　以前、オーストラリアの高校を視察に行った時のことで、そこは女子高校だった。見学したのは二年生のクラスだったが、ふと落第している人はどのくらいいるのだろうかと先生に尋ねると、彼はすぐに、

「落第している子は手を挙げろ」と言った。すると、即座に何と半数以上が手を挙げたのだ。無論、女子学生である。なのに、悪びれる様子は全くなかった。ごく当たり前の顔で手を挙げたことに、日本の高校教師達は仰天したのだった。

　視察後の討論会でオーストラリアの先生と言い争いになったのが次の点である。日本では何で落第させないのかという疑問が向こうから呈されたのだ。どういうことかというと、

生徒は様々な才能を持っている。まだ理解出来ない内に学年を進級させるのは平等に反するという。つまり、それぞれの生徒にあった教育をしてあげるのが平等な教育であるからで、これが平等に扱うということではないのかと。

こうしたことから、日本の平等の意味と先方の捉える平等には大きな隔たりがあることがハッキリしたのだ。日本では機械的に一律に進級させる機械的平等が生徒を平等に基本的人権のレベルで扱うことだとなる。しかしオーストラリアでは全く違う。つまり、平等に教育するというのは、それぞれの生徒にあった教え方をするのが平等教育であって、一律に生徒を進級させるのは悪平等になり、むしろ平等に反すると。根底にあったのは人には様々な能力があって、速く理解出来る生徒もいれば、遅くても理解すれば能力を発揮出来る者もいるという考え方であった。

これがどうして日本では出来ないのかは、次の例がよく物語っている。

高校教師だった時に、能力別のクラス編成を担当したことがある。クラスを能力別にするだけでもかなりの抵抗があったものの、思い切って実行に移した。実際には、学年が変わる度のクラス再編成の際に、全ての生徒が受ける実力テストの成績で分けたのだ。

このように点数別で選別することが一番楽な分け方になる。それはこの客観的なデータには誰も文句を言えないからだ。とは言え、色々と予想しない問題が生じた。というのも、例えば下のクラスから一番上のクラスに入った場合、必ずしも上手く行かない生徒がかなり出たのだ。入った三分の二ぐらいが落ちこぼれてしまう。多分、授業の進み具合がそれまでと違って速いからで、ゆっくりと進んでしっかりと理解するまでやればその方が伸びるタイプの子がいるからであろう。無論、他にも要因があって、上のクラスに入れたからと一安心して怠け心が出て来てしまうということもありそうだ。

いずれにしても、これを是正しようと、大胆にも生徒に選ばせる権利を与えた。どういうことかというと、上のクラスに行ける点数を持つ生徒には上に行くのも、そのクラスに留まるのもその生徒の自由としたのだ。そうすると、やはり三分の一か、もっと少ない者しか上に行こうとしなかった。ところが、大学進学では三番目のクラスに残った者、つまり上に行けたのに行かなかった者たちが実は結局、上手く成功することが出来たのだった。三番目のクラスなのに、旧帝国大学に入る生徒まで幾人か出て来た。通例、一番上のクラスでも、このぐらいの難関大学になると合格する生徒は難しくて一握りとなって来る。なのに、結果はそうなったのだ。

これで万事が上手く行くと思ったら、そうは行かなかった。何が障害になったのか。父母である。生徒は自分の向き不向きを考えた上でクラスを選ぼうとしているのに、父母は子が一番上のクラスに行けるのに行かないことに怒り出すケースが続出してしまい、クラス担任が頭を抱えてしまったのだ。つまり、世間の常識からすると、下のクラスにいるのは世間体が悪いことから、何で上に行けるのに行かないのかと子と父母の喧嘩が続出したのだった。

日本の人々の観念の根底に基本的には人々は機械的に平等に扱われるべきだという慣習的常識があって、それが世間体というコンセンサスを取り、平等という魔物になって人々の心の中に生き延びている一方で、もう一つの心の内では「やはり上のクラスにいた方がいい」と父母が考えている事実を目の当たりにしたのだ。

確かに人も生き物であって、他者よりも強くなりたいという競争心があるのは自然なことだ。これが上のクラスへの憧れとしてあったのだろう。一方でこの憧れが存在することで、いくら一律に皆が平等であるべきと言っていても、結局は上手く行かないことがいくらでも起きるのだ。

現実は難しい。何しろ、一律に平等の横並びが良いとして、これが世間知の中で一般的になっている。それで日本では機械的な平等が一般的と皆が考えるようになったのだ。しかしこうしてクラスにちょっとした差が付けられると、父母は子が上のクラスに行けるのに行かないと怒り出すのだ。つまり、日本では外国と違って、表面的には皆が並んで平等になるのなら争いが生じないと考える一方で、根底ではそうではないというのが暴露されたのだ。

この一律に平等なら諍いが起きないというのは、これはこれで一理ではあるだろう。しかしここにも問題はある。階級制（能力別）を嫌う余り、皆を平等にしないと承知しないという世間知が様々な問題を引き起こす要因になっていたからだ。既に述べているように、人は様々な能力を持っている。それなので皆を平等に扱うようにしたら世の中は回って行かない。こうしたことはソ連のソホーズ、コルホーズや中国の大躍進政策の試みの失敗を見れば分かることだ。

確かに今でも会社では縦関係があるし、官尊民卑の思想が根強くあるのも現実である。そうだとしたら一律の世間知の平等を主張するのでなく、平等とは何かをもう一度、考え直す時が来ているのではないだろうか。こうした平等の問題を取り入れ、何とかリアリティのある平等の観念の作り直しをするために、機械的な平等の差には目をつぶって認め、本来の平等の観念を取り入れても良い時機に来ているのではないのか。というのも、日本人は新しいモノを作るという創造性に欠けるとも言われるが、その遠因はここら辺りから来ていないだろうか。一律を重んじるあまり、ある分野で優れた才能のある者を蔑ろにしているからだと。

これについては、ドイツの大学教授と議論になったことがある。というのも、ハイデルベルク大学でも同様に各学年の進級毎に学生を落第させていたのだ。その彼が言うには、それぞれの学生がこの学科に向いていないとしたら、早くそこから別の学科に行かせてやるのが親切ではないのかと。そこに向いていないのが分かれば、その学生のためにもなるから、なるべく早く変えた方が得策ではないのかと。無論、当時のドイツでは基本的に授業料が無料であったのが重要な要素になっているのも確かだろうが。

授業料による違いを示している例がある。日本で落第を導入した私立大学では父母の猛烈な反対にあった。というのも、父母が言うには、高い授業料を払っているのに、教えるのが上手く行かなかったのを棚に上げ、学生のせいにするのはけしからんと。間違いをしたのは先生方であって、学生ではないと。こういう意見が多数出てきて、ついにその大学は落第させるのをやめてしまって、元通りに戻したという。いわゆる、トコロテン方式の大学卒業が維持されたのだ。

もちろん、西欧のこうしたやり方が全て正しいというわけではない。欧米では日本よりも格差がずっと開いて、国の安定が揺さぶられているのが端的にその弊害を示している。一長一短があるのは確かだが、これについての議論がなされないのはさすがに拙いのではないのか。

では、昔はどうしていたのか。

結局は、個別の文化の尊重であろう。差別があることから生じるギスギス感を、この文化尊重が緩和していたのではないのか。

要するに、文化と言っても現代においては多様化していて、色々な分野がある。それぞれがそれぞれに一つの分野の文化に対する理解や学びを深めていれば、違う人でもそれぞれに相手をリスペクト出来るはずだ。現代ではこうしたことを意識する考え方が欠如しているのが問題なのではないのか。

例えば江戸時代や明治時代では、それぞれの分野で精進している人を互いにリスペクトし合った。しかし現代では、これまであったこうした素晴らしい日本文化は蔑ろにされて、世間的・社会的な地位だけで物事が判断される傾向にある。確かに俳句が流行ったりするなど文化の向上が見られるケースも実在しているものの、一般的には文化は廃れる傾向にある。

端的には本を読まなくなったことだろう。本や新聞を読まずにスマホの情報で済ましてしまうからだ。確かにインターネットで多様化した世の中の情報を素早く簡単に手に入れられるのは素晴らしいが、あくまでもそれらは社会情勢の情報であって、どれもがあり方としては同じようなものである。こういったインターネットの情報に依拠していると、情報の質が一様で多様さに欠けてしまうのと、じっくりと考えるコトがどうしても蔑ろになりがちなのは否めないと。

無論、本が全てではない。だが、そうした深い文化に対するリスペクトが欠けている現在の状況が問題だという認識は重要だ。というのも、基本的人権にせよ、何も考えもせずに受け取っていれば、機械的に皆が一律に平等に扱われるということになって、全てを単純化してしまうからだ。

平等が導く身勝手な行為

もっと問題なのは、皆平等であるならば誰にでも何を言っても許されるとなって、身勝手な言い分でも押し通そうとする輩が出現していることだ。文化の衰亡から互いにリスペクト出来る分野が無くなって、そうしたコトを重んじなくなったのだ。相手の担う文化に対するリスペクトをしなければ、結局は皆が同じになってしまう。つまり、一律に基本的人権が誰にでもあるというのを拡大解釈して、その錦の御旗で誰に対してでも何でも文句を言えると思ってしまうわけだ。

確かにこれはこれで正しい部分もある。というのも、もちろんながら誰しもが平等に扱われるべきだからだ。しかしその前提として、互いに違う分野にせよ、相手へのリスペクトがあって初めて平等は成立する。それが現在では世間的な社会的地位へのリスペクトだけなので、問題が起きる。もちろん、昔のように階級制に則ったリスペクトに戻ったり、縦関係制度がいいわけではないものの、互いにリスペクトが無ければただ単に互いの主張を言い合うだけの諍いが主になる。だから、現代では諍いが多発するのだ。どちらにしても、リスペクトが無ければ、言いたいことを相手に直接的に言うだけになり、これが収まることはあり得ないコトになる。

何でそうなるのかと言うと、全体に余裕がなくなっているのではないか。文化に厚みがあるというのは、物事が起きても多面的に見ることが出来るということなのだ。例えばユーモアを用いて相手に何か言ったとしたら、直接的な言い方で言わないので、当たりが柔らかくなり諍いは起こりにくくなる。だが最近は、自己主張を引っ込めようとしないケースが散見される。相手とあくまでも平等であって同じ立場であると思う上に、文化を尊重する姿勢が欠如しているから、ユーモアのセンスにも欠ける。お互いに一方的にしか見られなくなっているので、直接的な言い合いになる。理屈にならない理屈であっても、己の障害になるものは何しろどけようとして、相手の立場や社会常識との調整をしなくなったのだ。

例えば、ちょっとした騒音が煩いというので文句を言ってきたケースが身近にあった。言われた人はモーター修理をしている人で、修理の時にモーターを回すので、ブーンという回す音するのはある意味致し方ない。大した音でないし、修理する時だけなので、時間は十数分と短かった。しかもその直すモーターが手の平に収まる程度の大きさのモノなので、大した音は出ていない。でも、その文句を言って来た人は耳に障るから止めろと怒鳴ってきたのだ。モーター修理をする人のほうもそれで生活しているので、そんなに大きな音はしていないはずだと反論した。

これはむべなるかなで、その人の作業場は文句を言ってきた家とは道を挟んでいる上に、相手の家も道路際に面した家ではなく、その奥にあったのだ。多分、退職した老人なので、昼間も家にいて音が煩いと感じたのだろうが、当然のこと、家はかなり離れていて、とても煩く聞こえるような距離ではなかった。それも昼間のことである。しかもその音はずっとしているのではなく、時たま十数分していただけである。

　なのに、すぐに止めろと怒鳴ってきた。無論、モーター修理人は断った。そんな大きな音は出していないのは、道沿いに住む家人からの文句がないことからも明白だ。それにもし本当に煩いなら、市役所に行って、騒音を測ってもらえばいいと反論して引っ込んだ。その後、退職老人は市に文句を言いに行ったらしいが、内容を聞いていく内にそれは出来ないと断られたようだ。

　頭に来た老人は次に一メートル以上の長い鉄棒を持ってきて、止めないならぶっ殺すと脅した。ところが、相手が悪かった。そのモーター修理人は実は空手六段の持ち主で、市から頼まれて体育館で長年に亘って教えていた猛者（もさ）だったのだ。怖いというのを知らない人だったので、即座に道路上に降りて行くと、そんなに叩きたいなら、掛かってこいと挑発した。確かに長い鉄棒を持っている。殴って行こうとすれば出来たのだが、やはり、空手六段の人のオーラは並みでない。全く違った特異な雰囲気が出ていて、タジタジとなってしまい、動けなくなってすごすごと帰ってしまった。

　この場合ではたまたま文句を付けられたのが空手六段の人だったので何事も起きなかったが、こうした単純なコトからの諍いが現代では幾つも起きているから問題なのだ。これらは、現代において他者の立場に立っての思いやりとか、そことの協調とか、リスペクトを持ち合わせるというのが全くなくなってきたことから起きているコトではないだろうか。

　要は己の行動の格率を身勝手なところから作り、それを世の中と調整して是正する作業を必要としないと考えるからで、その根底には皆が平等であることが存在している。皆が平等だというのは、基本的人権のレベルでしかないことなのに、これがあることで己の格率と他者や集団との定位の調整はしなくていいと取るからだろう。だから、曖昧である基本的人権に関わることから平等を引き出してきて、身勝手な格率にしてしまう。そうなると本来は個人的で身勝手なモノなのに、己が何を主張しても構わないということになる。

　この老人の場合も、自分にとって障害となるなら、誰にでも文句を言えるということになるから、こうして相手を訴えたのであろう。

　無論、この場合でも耳の感度の問題もあるが、だからといって、気になったらすぐに怒鳴りに行っても良いことにはならないだろう。まずはモーター音が気になるのなら、少し遮蔽をしてくれないかといった話し合いが最初であろう。相手の立場を相互に理解して、それぞれが出来ることをし合うのが重要だろうが、そうしたコトはすっ飛ばしてしまう。事実、それからはモーター修理人は必ず部屋の奥で作業するように心掛けたこともあってか、何も起きなくなったという。

こうした現状をどうしたらいいのか

こうした諍いの発生を止める上手い方策はないだろうが、少なくともアメリカ的な資本主義システム文化は日本には馴染まない部分があるということを示しているのは確かだろう。

あるニュージーランド人が言っていた。アメリカ企業が入ってきたら、それまでのニュージーランドのゆったりした生活がギスギスしだしたという。彼が言うには、彼等アメリカ企業人は二言しか言わなかったと。その二つとはprofit（利益）とhurry up（急げ）であったという。これが導入されたニュージーランドでは、それまでのゆったりした余裕のある人々の生き方が損なわれておかしくなったという。このことから、人々はいくら生活が豊かになっても、日々の生活に追いまくられてしまって文句が沢山出て来たのでは何もならないと考えたようだ。

確かにアメリカ企業のやり方も、人々の生活向上には役立ったという側面があるので、一概に駄目だとは言えないものの、日本でもニュージーランドと同じになっているのではないだろうか。このイライラに加え、日本独特の一律の平等の基になる基本的人権概念の拡大解釈や曖昧さも加わって、何でも直接的に文句を言っていいということになり、諍いが頻発するようになったのではないのか。

もっとショックだったのは、アメリカ人と話をしていた時のことだ。彼は言う。日本のテレビの余りの低俗さにビックリしたと。こう言われたことに驚いたのだが、その人が言うには、確かに日本のテレビ番組はアメリカの真似が多いが、それにしてもアメリカではここまで低俗になってはいないと言ったのだ。そして江戸文化の素晴らしいモノは一体、何処に行ったのかと言われもした。アメリカの事情はよく分からないままに、そこに住んだことのある日本人に伺うと、全てではないにしても、そうした傾向があるのではないのかと言われて、二重のショックを受けたことがあった。

こうした事態が何故起きたのかであるが、ここにも一律平等の観念があるのではないのかと。無論、視聴率を上げないとテレビ会社がやって行けないこともあるだろうが、そこには一律平等に受け入れられる番組が一番に望ましいというのがあるのではないのか。当然のこと、そうなれば、誰にでも分かって受け入れられることが正義となって、ドンドンと低俗化が進み、良き日本文化の香りが消えて行ったのではないのか。

現代では世界的に見ても、ファクトフルネスという本が言うように、皆が豊かになったという。豊かになったということは、個々人が独自な生き方を出来るようになったとも言い換えられよう。というのも、豊かになれば、暮らしに余裕が出来る。余裕があれば、己の好みの行為が出来るようになる。即ち、個々人の好みがバラバラになるからで、こうした個人主義化した好みにいちいち対応したのでは、テレビ会社はやって行けない。これを満たすとなると、誰でもが受け入れられるギャクを連発する安易なプログラムへとドンドンと変質して行ったのではないだろうか。

無論、テレビ会社も視聴率を上げないとスポンサーが付かなくなる。そうなるとやって行けないので、どうしても視聴率優先になる。こうしたことから、高度な文化は嫌われて、誰にでも分かる低俗なモノが流行るようになったのではないのか。もちろん、これはこれで娯楽番組だから目くじらを立てることでもないと言われるかもしれない。確かにそうした番組があっても良いが、こうした番組「ばかり」になっているとしたら、文化の衰退があると言えないだろうか。一般庶民はそんなに高い文化番組を求めていないと言われるかもしれないが、では、どうして江戸文化は庶民文化でありながらクオリティの高さを誇ったのだろうか。

そこにはやはり、一般社会通念の問題があろう。つまり、社会通念として、高い文化を尊敬して尊ぶというのが当時要請されていたからだ。江戸時代には、こうした低俗なコトを野暮と見て軽蔑していたのだ。

己の格率を作るのが面倒くさいこと

人である限り、何らかの格率に従っているか、その格率のルールと常識との調整をして己で己の行為を決めないと、人の社会ではやって行けないことを述べてきた。問題は世の中のルールに従ってやっていると、様々な問題に突き当たることだ。というのも、社会の変化が激しいと、こうした常識やルールが次第に役に立たなくなるからだ。それで己の作った行動指針だけの格率で動こうとするようになるが、ここまで述べて来たように、社会との調整がなされないと身勝手な格率になってしまう。

現代に至って、こうした身勝手な格率が出来るようになったせいで、様々な問題が起きてきているのであろう。日本国内でも頻繁に起きているがそれは世界でも同じであって、ロシアのウクライナ侵略やイスラエルとパレスチナとの戦争でも、根底には人が持つ恣意性が働いている。もし恣意性が働かなければ、こうした争いや侵略は起きないだろう。しかもこうした諍いをなくそうと作ったシステムである国連は何の力もなく、調整すら出来ていない。このまま行けば、もっと諍いが広がって予期せぬ戦争が勃発しても不思議ではない。

中国もその例であって、何しろ台湾を己のものにしようとしている。問題は中国が台湾人の存在を認めようとしないことから危機を大きくさせている。台湾人に言わせると、元々、台湾には多くの民族がいて、山岳ではなく平野に住むそうした人々を「平ほ族」と呼んでいた。そこへ蔣介石(しょうかいせき)が率いる中国人が入って来たのであって、現代ではその混血した人を含めれば、純中国人という人は少ないのに中国人は台湾は中国のものだという。

こうした民族的な問題に加えて、もっと深刻なのは権威主義体制の中国に統合されることになる弊害だ。もし統合されたら、人々に自由はなくなり、それに抵抗するコトはもっと難しくなる。無論、中国は一国二制度というまやかしを言うが、既に香港の例を見ても分かる通りで、自由がなくなるのは目に見えている。結局は恣意的に中国に併合しようとしているだけだからだ。

こうした権威主義体制国家である中国とロシアが手を組み出したので、自由主義諸国は大きな懸念を抱くようになった。というのも、人類は歴史上、少数のエリートが大衆を押さえつけて、彼等の思い通りに統治してきた。ここから一般人を解放することが民主主義の目標となっているからだ。言ってみれば、人は「恣意性」のある存在なので、放っておけば、エリートが一般庶民を意のままに統治しようとする。そうしてきたのが人の歴史ということだ。

実際にこのような独裁政権になってしまうと、これから人々が自由を得ようとしても、中々に難しくなるのは歴史が示している。だから、こうした権威主義体制に反抗して、苦労して民主主義体制へと発展してきたのが人の歴史なのに、ここにきてその歴史の歯車が逆回転しだし、他の民主主義体制国家にも大きな危惧をもたらしている。

ここまで述べてきたように、人々が自由に格率を作れるようになって伸び伸びと暮らすようになった。人々が格率を少なくとも自由に作れて、社会のルールとの調整が自由に出来ることを根底にしないと、民主主義体制国家は成立しない。しかし人々はそうした難しい作業を嫌う傾向がある。調整するのが面倒くさいのと、己の格率と社会ルールの善し悪しを判断するのも大変だからだが、こうした根本的なコトを人々がサボれば、たちまち権威主義体制になって、エリートに国を乗っ取られてしまうであろう。こうなってから、これをひっくり返すのはとても大変なのは述べた通りである。いくら反抗しようにも、いったん権威主義体制政府が力を持ってしまえば、やりようがなくなるからだ。

親の子への躾の仕方の変化

こうした国との問題には難しい要素があるものの、もっと身近な問題として先に触れた親が子をどのように扱うかの問題がある。一昔前では大体が慣習的な仕方で子を躾していた。しかし現代になると、そうした流れとは全く違うタイプの親が出て来た。身勝手に己だけで考えた格率から子の躾をしたり、全く躾に無関心だったりすることで問題が生じるようになったのだ。

代表的な事例は子への虐待である。子供は先に触れたように、動物的領域を持つので勝手に動こうとするが、これまではそれを親が愛情深く我慢して子を躾けてきた。だが、そのような慣習の力が衰えてしまい、身勝手な考えから子を扱うので虐待が生じるようになったのだ。

こうした子への虐待は一九八〇年代末から九〇年代にかけて、小さい子ならともかく、高校生であっても見られるようになって来た。幾つもの例を見てきたが、実際に信じられないこともあった。というのも、その虐待した親が世間的にはとても評価が高い堅い職業で働いている真面目な親だったからで、その親が虐待をしていたのが分かった時は驚いた。無論、そうした虐待があるかないかを見抜くのは難しいのだが、何かの折に分かる時もあったのだ。

というのも、その女子高校生の頬がちょっと腫れていたのに気付いて、「どうしたの」と問うと、「ちょっと躓いたので……」と曖昧に口を濁したので、逆に何かあったのではないのかと疑いを持ったのだ。何てことない話をしばらくした後、実力テストの成績の話題で、「お母さんが強いんで、低い点数を取ると大変だね」と言うと、ワッと泣き出し、その虐待が分かったのだ。何でも、成績が悪いと母親から殴る蹴るの暴行を受けて来たという。父親が止めてくれるのかと思ったら、一緒になって殴ってきたというのだった。

泣きじゃくりながら彼女が言うには、親が怖いという。高校生にもなっているのだから、母親となら対等に渡り合えるのではと言うと、小さな頃からの虐待で先に恐怖感が染みついていて、中々に抵抗出来なかったという。しかし高校生になって、実際に殴ってきた母親に殴り返したところ、見ていた父親が母親に味方して殴ってきたというのだった。だから、それからは怖くて何も出来ないという。

別のケースでは、やはり成績が悪いと母親が口をきいてくれなくなって冷酷に無視されるといった問題が起きていた。その母親は医療ケアをする仕事についていたので二重に驚いたことがあった。多分、生活のために働いていたのであろうが、そうした母親の冷酷さに父親は嫌気がさして何処かに逃げてしまっていて、その出奔先は知らないという。このケースでは虐待と言っても、殴られることはそんなになかったようだが、それよりも独裁者に支配されているような怖さを彼女が感じているのが分かった。この高校生の彼女はいつも生気がなく、常に目が定まっていなかったからだ。

こうした親の変質から来る虐待を感じだしたのもバブルが弾けた頃だが、それまでの大半の親は子への愛情が深かったように見えた。例えば「お子さんの成績が酷く悪くなっていますが、何かあったのですか」と問えば、「すみません。もっと注意深く見て行きます」

と返して来るのが普通だった。しかしこの頃から「ああそうですか。分かりました。でも、この子はもう高校生ですから、自分のことは自分で責任を持ってするのが大切だと思いますので、任せています」という答えをする親が増えてきたのだ。

どういうことかというと、既に高校生なのだから、もっと自己責任を持つべきだと。確かに言われるようにこれが間違いとは言えないが、「高校生はまだ大人に成りきってはいない。おかしなことをしていたら、親が注意したり面倒を見てやらなくてはいけないのではないのか」と訊くと、「この子自身の生き方ですので、仕方ないですね」と言う。

一聴すると、子を信頼していて自由と試練を与えていると思ったのだが、よくよく聞いて行くと、母親は自分の時間が子に取られるのが我慢出来なくて、自分の時間を優先しているだけだというのが分かってきて驚いた。つまり、利己的に己の時間を優先していたのだ。子の世話よりも己の時間が大切だと。だから、その言い訳に子には子の責任があって、高校生にでもなれば、自分で責任を取るのが当たり前としていたのだ。

この様変わりには驚いた。というのも、それまでは子を可愛がるあまり、お節介が過ぎる親というのはいたが、子を突き放して己の時間を大切にするという親は見たことがなかった。むしろ、「勉強しろ、勉強しろ」としつっこく子に言って嫌われる親が多かった。

何という様変わり。

この親御さんは、先ずは己の時間や己のしたいことを優先するのだ。これだと、お子さんが私語をするのが多くなったり、授業が出来なくなったりしても、大人のやり方と同じように生徒がしたいようにしただけで済ませて、何もおかしくないと思えたのを覚えている。要は子の自主性を重んじているようでいて、子への関心を持つ時間よりも己のしたいことをする時間を優先するという利己心が透けて見えてきたのだ。先ずは己の時間を確保して、それからこれが余ったら、子へ関心を向けるというのだった。確かに母親が仕事を持っていたからというのもあろうが、色々と聞いて行くと、結局は自己弁護に終始しているだけのようにしか聞こえないのだった。でも、何処かで心の痛みを感じていたのではないのかとも思えたのを覚えている。

昨今のニュースを賑わせている「自分勝手な親たち」にも、この親御さんと似た形跡が見受けられるのではないだろうか。というのも、例えばその子が幼児であったとして、車に残してパチンコに夢中になって暑さから子を殺してしまったという話には通底するモノが現れているからだ。

では、こうした母親がそれまでいなかったのかと言うと、いたとしても稀だったのではないのかと。しかしちょうどあの頃から、そうした母親が目立ってきたような気がする。幼児はともかくも、高校生なら子に任せるというのも一理はあるものの、実態はそうではなかった。

確かに高校生にもなると、親の言うことは聞かなくなる。何か注意をしても無視されるからで、ある母親はこう言った。

「勉強しなくてもいいの」と訊くと、まずは無視される。それでも続けて言うと、「分かったよ。母親も辛いよね。勉強しろと言わないと母親の責務が果たせないから。分かったよ。その内に勉強するから」とバカにしてくる、と。子の方も親の立場を先読みするまで成長していて立派なものだが、やはり昔の親の方が子供にはちゃんと干渉していたように思える。親の我が子に対する関心の喪失の背景には、どう考えても親の変質と己の時間の方の優先という恣意的な選択があったように思われる。

四部　生き甲斐

生き甲斐とは何か

社会的動物である人が、己が社会の中でどの位置にあったらいいのかという己の居場所を社会と調整しながら探して決めること（定位）やそうした定位との関係を考慮しながら、どのようにして己の行為の指針（格率）を決めて生きているかについて述べてきた。ここからはこうした己で決めた定位や格率に則って生きる中で、そこに生き甲斐である生きる充実感をどのようにして人は持とうとしているのかについて述べたい。

ここでちょっと触れておきたいのが「生き甲斐」という言葉である。というのも、生き甲斐とは、人だけが持てる独特で特別なモノである可能性が高いからだ。無論、他の生き物でも生きる喜びとか快感は持ち得るであろうが、生き甲斐という個人的な充実感を持てる所までは行っていないのではないのか。確かに人と遺伝子上は数％しか違わないチンパンジーなら多少はあるのかもしれないが、あったとしても自分で決めた生き甲斐のためなら苦労を厭わず何処までも試みようというような処までは行かないだろう。

それは何故かというと、有り体に言ってしまえば、生き甲斐は精神性から来るモノだからだ。他の生き物とは違い、人は生きる充実感という精神性のレベルまで至っているから生き甲斐を感じられるのであって、食べ物があれば満足する他の生き物であるのなら、生き甲斐を愉しむことまでは望もうにも望めないのではないのか。こう言えば、「それは言い過ぎだ。他の生き物でも遊びのようなことも出来るのだから、全く精神性がないとは言えないのでは」という反論があるかもしれない。

確かに、かの碩学ホイジンガは言っている。「遊びこそが高度な精神性を持つ証」だと。これからすると、たとえば本物の餌でない疑似餌のルアーを使っての釣りの場合、これに引っ掛かるのは魚が騙されているように見えて、実は魚にとっては一種の遊びで戯れているからとも言われる。またチンパンジーにも遊ぶ例はあって、何でもない木の枝の取りっこをする鬼ごっこのような遊びをするという。しかしこれとてあくまでも一対一の遊びであって、一匹を多数が追うといった集団の遊びまでは行っていない。決まった一匹と一匹との戯れに過ぎず、集団のルールを持ったゲームのような複雑化した遊びではない上に、生き甲斐にするといった所までは進化させていないのだ。一方、人の場合は、遊びが発展したスポーツを見てもわかる通り、これをプロとしての生業（なりわい）にするだけでなく、生き甲斐にもしているわけだ。

では、このように「遊び」を生活が出来る生業として成立させた上に、生き甲斐にもしてしまうといったことが人にはどうして可能なのであろうか。まず生業としてお金が手に入って暮らせるという点では、衣食住が満たされて生きるのにも困らないことになる。この過程自体かなり複雑に発展したものと言えるが、実はそこに留まらない。生業にすることで達成感までが得られて、生きる喜びを感じての充実感、すなわち生き甲斐を得られているからだ。

これまでの言い方をすれば、究極のドーパミンが出るコトとも言い換えられる。他の生き物では食糧調達が上手く行けば、ドーパミンが出ても不思議ではない。しかし人になると生業にするどころか、逆に具体的なモノやお金が手に入らないという実体的成果を得られない場合であっても、ドーパミンが出て嬉しくて仕方ないということは幾らでも存在するのだ。

例えば高校野球の試合で甲子園に出場出来るというだけで喜びを爆発させて、生き甲斐を感じるというのもそれに当たる。しかも出場の時だけでない。年を取った後でも、あの時は素晴らしかったよなと、友人達と思い出に耽（ふけ）ってそこでまたドーパミンが出るということもあり得るのだ。

　登山でもそうだろう。プロでもない限り、登頂に成功したからと言ってスポンサーもついていない以上お金も貰えない。それどころか、かなりの自己負担になって、多くのお金が掛かるケースが多い。なのに、登頂すると爽快な気分になって嬉しくて、生き甲斐を感じる。これは登山だけでない。様々な領域でこうしたことは起こり得るし、実際に起きている。

　このように生き甲斐が精神性を含むモノであるとしたら、どのようなものまでがそうと言えるであろうか。少なくとも他の生き物では、恣意的に己で選んで、己で実行に移すという主体的なコトが出来ないことから、生き甲斐と言った所まで辿り着かないのであろう。つまり、自然摂理に従う中での限られた選択しか出来ず、生き甲斐という領域を己で選んで達成するといった精神性の域までは行ってはいないのではないか。

　となると、これを可能にするには恣意的な行為が出来るというのを前提にしないと無理な話になる。無論、他の生き物であっても困難を乗り越えて何かを手に入れられれば、そうしたドーパミンが出る処まで行くのかもしれないが、人の場合とは次元が違っているのだろう。

というのも、先に触れたように食糧調達には関係しないとか、たとえお金が手に入らなくても、登山のように登頂しただけで喜びにあふれるコトがあるが、これがどうして起きるのかの一つに、他の多くの人には出来なかったことを自分が成し遂げたという喜びがあるからでもあろう。無論、原初的な食糧調達であるなら他の生き物でも競争して他を押しのけて食糧を手にいれたら満足するかもしれないが、こうした具体的なモノを手に出来ない登山のような行為に生き甲斐を見出すとなると、それは人以外あり得ないことなのではないだろうか。

ここに他の生き物と人との違いが明確に出ている。既述のように、こういった感情の機微は精神性世界と言ってもいい領域に存在するからだ。確かに最初の内は人の喜びも他の生き物と同じで具体的なモノを手に入れた時の感情であったであろうが、ここまで複雑化した文化を持つまでになると、そこには物質的利益とは関係のない形で何物にも代えがたい喜びを感じるケースが出て来ている。これが生き甲斐という人独特のモノになったのであろう。こうした何物にも代え難いというのは、原初的な処から発展してきたとは言え、精神的で複雑な領域に立ち至ったのだ。しかもそれは恣意的領域でもあるので、人によって違ってきても不思議ではなくなる。

確かに原始時代では新しい食糧の調達やその開拓といった側面が喜びに繋がるケースが多かったはずだ。他の生き物と同じようなレベルで、獲物を手に入れられるか、または見付けられるかどうかで、喜びを持てることに繋がったのであろう。一種の原始的な冒険レベルとも言えるが、現代ではこの派生型として、実体的な成果が期待出来ない登山や洞窟探究や未知の場所の探検などに発展したのであろう。こうして複雑化した人の社会になって初めて、人は様々な未知のコトに挑戦して、その成果を得ることで喜びを手に入れて生き甲斐を感じることが出来るようになったのだ。

すなわち、生き甲斐が初めは具体的成果を求めたものの、人の社会が発展することでより多くの分野に進出出来るようになり、様々な生き甲斐が生まれるようになったとは言えないだろうか。実際、一概に生き甲斐といっても、人によっては考えられないようなところで生き甲斐を感じる人もいるようだ。

生き甲斐を何処に置くのか

人が恣意的に考えて行為することで、それぞれに価値観が違ってきても不思議ではないことから、普段の生活領域であっても多様な生き甲斐が存在したとしても不思議ではないだろう。そうだとしたら、人はそれぞれにどのようにして、また何処に価値を置いて生き甲斐を楽しむのだろうか。但し、そうは言っても、この生き甲斐を一生涯に亘ってズレなく変わらずに成し遂げようとするのは難しい。生き甲斐の追求は様々な困難に遭遇して挫折することが幾らでもあるからだ。

こうした難問が控えているので、生涯に亘ってまでこれを続けて出来る人はそんなに多くはいないのも事実だろう。というのも、人や人の社会は変化が激しいので、己の「考え」自体、年月が経てば変化をするからで、生き甲斐を長期に亘って継続して行けるというのは並大抵では出来ることではないのだ。つまり、ちょっとしたことで他から影響を受けて興味が薄まったり、なくなったりして目標が変わることがどうしても起きるからだ。そうしたことがひとたび起きれば、人は思い切って変えたり、容易にやめたりする。それというのも、やめることへの後付けの理屈は幾らでも付けられることから、尚更その持続は難しいモノになるのである。

例えば切手を収集する趣味があったとしても、いつかは面倒くさくなったり、飽きが来たりしてやめてしまう時が来る。そこに己の生き甲斐を感じられれば何とか続けられるが、そうでなければすぐにやめてしまう。

このように一言に「生き甲斐」といっても、追求して行くと意外と多様で複雑で奥深いモノを持つ場合が多い。しかし「生き甲斐」にこのような多様な意味を持てている言葉というのは、どうやら日本語だけのようだ。それというのも、面白いことに、この生き甲斐の単語自体が外国語には見当たらないというのだ。

英語ではpurpose in lifeとか、purpose of lifeであり、ドイツ語ではLebensgrund、フランス語ではRaison de vivreと言われるが、いずれにしても、人生を生き抜くための目的とか理由とか根拠であって、日本語における人生での充実感を得られるという意味での「生き甲斐」に近いものではない。そのせいか、この訳ではどうもしっくり行かないということで、今ではikigaiとローマ字表記でそのままで使う場合が海外でも多いようだ。

こうした文化が違えば翻訳出来ない言葉は幾らでもあって、逆のパターンもある。例えばロゴス。ロゴスを日本語に翻訳すれば、言葉であったり、理性だったり、秩序だったりして一語では言えなくなる。それと同じで日本文化に根差した言葉になると、翻訳が出来ない言葉はかなりあるであろう。

となると、この「生き甲斐」は日本独特の言葉ということになるが、どうしてそうなるのだろうか。詳しくは分からないものの、生きる目的とか根拠といったような論理的な意味だけに留まらない単語だからではないのか。曖昧で感性的なモノまで含む奥深い意味まで持っている単語だからで、外国語の場合は論理で説明したり目的化したりしてしまうので、単一の意義しか持てないのだろう。

こうした用語は日本にかなりある。侘びとかサビもそれであって、精神的な深さを持つものの、論理では説明できない。また論理で割り切れないモノであって、日本的な精神性を持つモノと言って良いだろう。確かに侘びもサビも仏教用語とも関連する部分を持つものの、悟りのような純粋な仏教用語とは違う。というか、侘びやサビはそこに仏教の禅からの影響が色濃く反映されているものの、仏教用語そのものとは異なり、日本文化に根差したものと考えていいのではないか。

というのも、侘びにせよサビにせよ、それが具体的に表されるモノでもあって、能や茶の湯とかまた美的な陶器や日本庭園とかにも見られるからだ。だから、日本文化に根差したモノと言っていい。とは言っても、決して外国人に分からないモノでもない。多くの外国人に理解されて愛好者が多いのは周知の通りである。

例えば桂離宮の美を発見したのはドイツ人の建築家のブルーノ・タウトであった。これなども柱がとても細くて華奢（きゃしゃ）であって、豪壮なものとは逆の侘びやサビの世界にも通じている。このことを外国人が明治時代に見付けて、これは世界的な美であると言ったことから、何の管理もせずに放ってあって崩れかけていた建物や庭園を明治政府が慌てて保護に乗り出したというわけだ。というのも、桂離宮は天皇の別宅であったが、江戸時代には武士が力を得ていたので、皇室には修理をする力さえも無かったからだ。

それよりも、実はこの外国人が日本の美を発見したというのに私は以前は懐疑的であった。本当にそこまでこの日本的で繊細な美が外国人に分かるのかと。しかしこれが事実だと分かったのは、知り合いのドイツ人でハイデルベルク大学教授であった人が桂離宮を見て、とても感動している場面に出会ったからだ。彼を連れて行った日本の大学教授は同じく物理専門家だったが、この美に関心がなかったのか、それほど感動していなかったのに、外国人の彼は話をして行く内によく理解し、感動しているのが分かってビックリしたのだ。つまり、美が分かるかどうかは人に拠っていて、外国人であるなしは関係しないのだと。

このように能にしても、日本庭園にしても、外国人に人気があるのは、日本独特な精神文化がある種の普遍性を持っているからで、それを理解する外国人が本当にいるということが分かった次第であった。

少しばかり生き甲斐とは違う話になってしまったが、いずれにしても、生き甲斐というのは日本特有の概念であり、深い意味もあるのに曖昧さがあって、いい意味でも悪い意味でも込み入った内容を秘めているモノなので、キチンと解明するのが難しいことから、どうしても翻訳するのが難しくなるのだろう。確かに生き甲斐は一面では曖昧でもある上に、個人個人でも違っていて多様性がある。生き甲斐を一般的に定義することは出来ないという意見が多いのも不思議ではない。

何故そうなるのか。

幾つかの例を挙げてみよう。その中でもっとも原初に近いモノで生き甲斐を得るモノがあったとしたら、それは動物的かつ本能的に満たされるセックスとか美味しいモノを食べるとかいうことになろう。しかしこうした本能的なレベルであっても、個人がそれを満たすことを生き甲斐だと言えば生き甲斐になるからだ。

江戸時代における『好色一代男』とか『好色一代女』とかの井原西鶴モノがまさにそれ

を物語っている。この原初的なモノに文化として通用する精神性を付与したことで、彼の浮世草子は生き甲斐のレベルにまで達したと言えないだろうか。また食通にしても、時に魯山人（ろさんじん）のように料理を精神性の領域まで高めて、生き甲斐にしてしまった人もいるのだ。

どうしてこうした原初的なレベルの快楽でも精神性のレベルにまで高められるのかであるが、これは前に述べたように、人が「第三者の目」を獲得して、恣意的な生き方が出来るようになったからだろう。要は人生において何がどのような意味を持つのかをジックリ考えて突き詰めた結果、どの分野にせよ、深い意味を持たせられるまでに至ったと言えるのではないか。

だから、日本発で曖昧な用語でもある生き甲斐にしても、その奥深さを外国人も認めざるを得なくなっているのだろう。日本発の文化には他にも本来は深みがあるものの、軽く扱われたり曖昧さがあったりするモノが散見されるので、これらを何とか解きほぐして真の価値を知らしめて行きたいところだ。上手く成功するかどうかは分からないが、試みるだけの価値はあるのではないだろうか。

生き甲斐の基本とは

　では、生き甲斐を感じる場合とは基本的にどういうことになるのだろうか。先ず言えるのは「何かをしていて楽しくてドーパミンが出る」という楽しさを含むということだ。確かに困難に挑戦して苦しんでいる時の方が多い場合であっても、その過程の中で少しは進歩したということに喜びを見出すこともあるのではないか。結局は誰しも、苦行のどこかに楽しさを見付けているのであろう。もし楽しさを何も含んでいなかったなら、さすがに続けられないのではないのか。いや、たとえ楽しさが全くなくても最終的には生き甲斐を感じるという領域があるかもしれない。例えば山伏の修行がそれに当たるかもしれないが、少なくとも修行の成就が必須条件になるだろう。

　もう一つの基本的条件としては「何かをしていて、成し遂げる」という処まで到達することであろう。確かにその過程での小さな成功というのであっても喜びがあるだろうが、結果としてはそこまで頑張って続けたので最終的に上手く行ったという成功体験が、生き甲斐に通じることになる。無論、そこで単純に個人的な満足感が持てるというだけでも生き甲斐を感じ続けられるだろうが、他者や社会から認められることが加われば、もっと生き甲斐を感じられることになる。

そこで最初の条件である「楽しさ」についてであるが、これは個人的な部分が大きくて、何を楽しいと思うかは人それぞれになるからこそ、色々な分野で生き甲斐を感じられるコトが可能になるのであろう。それと生き甲斐に持続的に携わることは、それを職業にすることにも繋がって来る。職業にすれば生活も出来るので一生涯に亘って続けられるから、これが出来れば言うことはない。いわゆる、天職と言われるのがそれであって、これに出会えることは一般的には中々に難しい。というのも、いくらそれをすることが楽しくて続けられる職業だとしても、簡単にはそこまで行き着かない場合が幾らでもあるからだ。

例えば高度な知識を必要とするような職業の弁護士であれば、なりたくてもその関門を突破することが必須になる。また運よくそこを突破したとしても、現代日本のようにその仕事を頻繁に必要としていない状況の場合には、その職業で食べて行くのに困難が伴う。また首尾よく上手く顧客に恵まれて続けられたとしても、そこでずっと持続的に弁護士をし続けることには、様々な困難が付きまとうだろう。

そこまで高度な知識や訓練を必要としない分野になると、簡単にその職業に就けるが、それが可能だとしても、誰でもが出来るということは、多くの人が群がってくるので、こうした競争を生き抜くのには大変な困難が幾らでも生じるであろう。生き甲斐にまで到達できる人は多くはいないことになりそうだ。

このように述べて来ると、そんなに大仰な職業は選ばないよ、もっと単純なことで生き甲斐を感じられるモノが幾らでもあると言われるかもしれない。確かに述べたように、この生き甲斐という用語は日本的な曖昧さがあって、どういう風にも取れる処がある。逆に言えば、それだけ広い範囲を持つ用語だとも言える。

単純に生き甲斐を見出せるモノや所とは何だろうか

生き甲斐には様々な領域があるだろうが、それが生き甲斐と言えるかどうかは、これまで述べたようにその人その人に拠っていて、例えばすぐに手に入れられるモノとしては趣味とか道楽の領域になる。そうは言うものの一方で、趣味や道楽は人生を賭けた生き甲斐と呼べるモノではないと考える人もいるかもしれない。そうなると、「生き甲斐とは何か」という原点に再び立ち戻ることになるが、結局はその人が生き甲斐だと考えたり、思ったりすることが出来ればそれで良いのではないのか。というか、生き甲斐とは言えないと否定することは他人には出来ないことではないのか。

例えば江戸時代の根付けを収集している人がいるとする。根付けというのはキセルに使う刻み煙草入れの印籠に紐を付けて、その先端に細工物があって帯に挟むものだが、単純なものから凝った芸術品と言えるものまで多様にある。しかしこれを集めて、日々、見ては楽しむのが道楽であるとすると、他の生き物のように単に獲物を得るか得られないかのレベルからは進展して多様化されている。いくら他の人達からおかしなものを集めていると言われても、本人にとってはこれを集めることが生き甲斐になるからで、こうした道楽と言えるようなモノは数え切れない程にあるだろう。

単に究極の個人的趣味であっても、本人がそこに生き甲斐を感じられれば、それが生き甲斐になる。とは言え、こうした根付けの場合、コレクターは日本人だけでない。外国人にも集めている人がかなりいると言われる。そうなると、単に日本人だけの生き甲斐とは言えない処まで来ているのではないのか。だからこそ、生き甲斐がikigaiでも通じるようになったのではないだろうか。というのも、こうした根付け収集の趣味が外国人にもあるというのは、人生に引き込むような精神性のレベルにまで行っているからではないだろうか。無論、心の内のことなので、人によって違っていて、全く同じではないのかもしれないが。

ただ、一般的に言えば、生き甲斐を感じるモノというのは、こうした趣味のレベルでもなければ、そんなに多様なものでもない。例えば現代では少なくなったが、明治時代には「末は博士か大臣か」といった社会的な地位を目指すのを生き甲斐とする人も多かったであろう。しかし社会が複雑化して多くの分野が拡がったことで、多数の選択肢の中から選べる自由空間が広がった現代においては、あまり言われなくなった。

広くなった上に様々な領域が出来て、それらを選ぶ自由があることから、無理してそんな難しい処を目指さなくてもいいと思う人が多くなったということだろう。それに趣味とか道楽に走ってしまえば、個々人でその内容は違ってくる。これが生き甲斐だと言えば通用することになる。

無論、明治時代と同じように、出世に生き甲斐を見出す人もいようが、今の人の大半は個人的に決めた目標に向かって上手く行くことを生き甲斐としているのではないだろうか。それだけ社会が豊かになったことを示しているとも言えるのだ。

何故、現代ではこのように多様化したのかは、これまで述べてきたように定位である己の居場所を自由に決められたり、自由に格率を作れるようになったりしたことも関係しているだろう。多くの選択肢を現代では手にいれられるからだが、人は欲張りである。いくら決めた目標に向かって行くことを生き甲斐にしていたとしても、社会の中の己の位置との関係も重要になるのだ。というのも、己が勝手に決めたモノである生き甲斐の目標を集団や社会からも認められたいという欲求が出るからだ。例えば趣味の根付け集めにしても、多数の人がこの目標に向かって収集の努力をした結果、ある人が多く集めるのに成功したとすると、それだけでも満足感は得られるものの、そこまで行くには自ずと激しい競争があって、必然的に多くの他者をも追い抜いたことになる。人より多く集めることは多くの人からの認知にも繋がっていて、より大きな満足感を得られるからだ。

一方では確かに生き甲斐はそれぞれであって、競争など関係しないモノもある。究極的なモノになれば、これが己の生き甲斐だと思えばそうなるだろう。しかし自己満足でしかないと言われたら、どうだろうか。「いいよ、言いたいのなら、そう言えよ。自分はこれを生き甲斐にしている」という究極の個人レベルに留まるなら、これに文句を付けるのは難しくなる。

では、こうした様態があるのをどのように見たらいいだろうか。個人だけのモノで他者に迷惑を掛けてはいないし、そこに世間を煩わせるような妙な価値観も含んでいないとするならば、どのようにしようとも勝手だろうと言われたら、言い返しようがなくなる。要するにこれが示しているのは、生き甲斐というのは各々の個人の価値観が反映されたモノであるので誰も文句を言えない領域になるということだ。言ってみれば、自己満足であったとしても、その人が満ち足りていれば生き甲斐は成立する。特に現代ではこれが成り立つのだ。

これはこれで正しいであろう。個人的な趣味や道楽のレベルでの生き甲斐には文句の付けようがない。しかし文句は付けられないものの、社会とは隔離された無関係の状態のままに推移する場合もあるので、余程の入れ込みようでない限り、飽きが来てしまう可能性もある。ここに難しさがある。簡単に生き甲斐を見付けても、その継続が上手く出来ないケースに多々直面するからこそ、人々は様々に試みることになる。しかし真に生き甲斐を持てるようになるのかどうかは結局、個々の満足の問題もあって、一概には言えないが、これを定位との関係でどう成立させるかを探ってみたい。

他者との定位から来る生き甲斐

　ここまでは個人の満足だけのレベルで生き甲斐について考えてきたが、これでは自己満足になるので、飽きが来て持続が難しかったり、誰一人として己の生き甲斐を認めてくれないとなれば、全く孤立してしまう。確かにこうした孤独を耐えてでもやり遂げることも可能だろうが、一人でもいいから仲間がいてその価値を共有できたり、認めてくれたりすれば、この生き甲斐のレベルでも己の定位が出来て、それが強められるだろう。

　これが一人だけでなく、もっと複数の仲間がいれば定位は揺るぎないものになる。この代表がＳＮＳ上での同好の仲間集めによって安定感を得ることであろう。もっと言えば、広く社会が認めてくれれば最高のものになる。こうした状況は、人という存在が社会的な存在であって、無自覚に生きる他の生き物と違った形で生きていて、他者や社会との強い関係があれば、より満足度が増すように出来ているからだ。アリストテレスが言う「人は社会的な動物である（anima politica）」を表しているとも言えるであろう。

　日本語の生き甲斐がいくら日本特有の言葉であって、個人の要素が多いと言っても、こうした定位と結びついている部分もある。社会と関係すればする程にこの生き甲斐は安定するからだ。逆にいくらオタク的な生き方をしていて、己の世界に埋没し得るだけで素晴らしいと思っていても、多くの人に認められないまま個人のレベルに留まることは不安定なのだ。確かにそれはそれで何も問題はないにしても、人の本質にはこのように社会的な動物であるということが重要な要素としてあって、この関係無しには真の安定はないから厄介なのだ。

たとえ究極の個人レベルだけでも成り立つようなコトを生き甲斐にしていたにしても、人は社会的な動物であるので一人だけでは生きて行けない。それでいくらオタク的に生きる人でも、社会との関係を全く断つことは出来ない。言い換えれば、現代では多様な生き方が可能になっていて選択肢を自由に選べるものの、どちらにせよ社会との関係無しには暮らして行けない。特にこうした社会との関係からの定位の確立が中々上手く出来ない現代では、そうした生き方が難しくなっている部分もあるだろう。

オタク的とは違っているかもしれないが、社会とはあまり関係しないままに研究に没頭する研究者になると生活の問題が出てくる。これが安定すればいいが、そうでない場合は地位の不安定さがしばしば問題になる。端的にはポスドクといった短期の身分しか与えられない研究者が多くいることで、長期の研究が出来にくい環境が現出している。これまでの日本では、多分、半世紀ぐらい前まではそれほど多くは起きなかった事態だ。

一つには、高学歴化した現代ではドクターコースの定員が多くなり、そこを出ても職にあり付けない現象が起きていることがある。もう一つは政府の問題である。票にならない領域には予算を分配しないという現実と、アメリカ的な能力主義の導入があったのだ。

どういうことかと言うと、ある期間に、例えばポスドクの五年間に成果が出せない人は能力がないと見なされて、次の仕事や何らかのポストに就けないので、研究をやめざるを得なくなる。つまり、能力がない人にはお金を出さないということだ。

確かにこれはアメリカを真似たモノと言われるが、当のアメリカではちょっと事情が違うようだ。短期での競争に激しいモノがあるのは同じであるものの、大学への企業からの献金が多く、奨学金のようなお金をかなり得られることから持続的な研究が出来る道も拓かれている。このおかげで研究を続けられる人が出ているのに、日本ではこうした企業からの寄付が殆ど認められていない。様々な要因があるのは間違いないが、こうした研究領域で問題が現出しているのが日本の現状になる。憂慮すべき問題であって、若い研究者の生活の不安定さから長期の研究が出来ないことになっていて、日本の根本的な進展を阻む要素を秘めているのだ。こうした環境そのものが日本の発展を侵害していると言えないだろうか。

問題は研究者が生き甲斐を見出していたとしても、生活が成り立たずでは研究を諦めるしかないことから、肝心な基礎科学領域が弱くなってしまっていることだ。これはイノベーションを発展させようとする将来への問題とも絡み、由々しき問題を孕んでいる。簡単には行かない問題ではあろうが、そのまま放って置くには問題が大き過ぎる。

しかし逆の面の問題もある。例えば教授になってしまうと全く研究をしなくなる人もいることだ。つまり、今の地位に満足したことでこの社会的な立場にいること自体が生き甲斐になってしまい、それ以上は何もしなくなる。さらには教授というお山の大将になってしまうと、周りは殆どが先生、先生とお世辞を使うので、己が全ての面で優れた人だと勘違いしてしまうのだ。

要は、この地位にお金を出してくれている世の中の仕組みに無頓着になるのだ。彼等は専門分野には詳しくても、他の領域については全く不案内なのに、もしちょっとでもそこへ己が首を突っ込めば、すぐに何もかも分かってしまうと思い込んでいる節がある。思うだけなら問題は何もないが、他の職業人よりも自分の能力が優れていると勘違いしてしまうことが厄介なのだ。ということは、単なるオタク的なモノでの優れた研究に過ぎないと見られることが多い領域なのに、他の分野での苦労を全く認めずに己を全能に近い者と見なすことから、自分だったらこのような全く違う分野でも、試みればすぐに出来ると思い込み、軽蔑の目さえ向けようとすることも起きているのだ。

どうしてそうなるのかというと、たとえ他の分野であってもここまで自分が成功出来たのだから、己がちょっと努力したらそんな領域なら直ぐにマスター出来ると思ってしまうことが原因なのだ。こうした傲慢な考えは、教授という形で社会的に定位が認められたことからくる問題であろう。これだけ大学が一般的になったことから、講座制を廃止してもっとフラットな職制を作って、多くの優秀な若者を採用する枠を作るのが良いのではないのか。特別に優れた教授には別枠の地位を設けて待遇するのが適切ではないのか。と言っても、これをすると、また特別枠が増えてしまい、同じようになるのかもしれないが……。

このような個人的な存在として挙げるべきは、科学研究者だけではない。芸術家の領域でもそれが言える。この領域は全くの個人的領域である。才能とたゆまない努力が嚙み合わないと中々上手くは行かない。たとえ嚙み合ったとしても、この領域ではカントが言うように、主観的なモノ故に評価も主観的であって、正しい評価は難しくなる。つまり、客観的評価というのが不可能だからで、いくら天才であっても、認められずに消えていったり、亡くなった後に評価されたりするということもしばしばある。

どうしてこのような領域では問題が起きやすいのか。それは、究極の個人レベルの領域でしかないことがあって評価のしようがなく、社会との定位も難しいので、どうしても孤立しがちになるからだろう。

　妙な言い方になるが、死ぬ時は一人でしか死ねないというこの事実が人を不安にさせるが、これが示すのは結局のところ、こうした社会との定位が切れることへの不安こそが、人を不安定にさせるのだということだ。つまり、死に直面すれば、この社会との定位がどうやっても成立しない状況となるからだ。太宰治は死にたくても中々に死ねずに、一人の女性を道連れにしたが、そこには個人レベルの様々な問題が強くあったとしても、こうした人特有の社会との定位が切られるという恐怖が付いて回ったからこそ、他者を巻き添えにしたのではないだろうか。

　このように一見すると、生き甲斐はオタクのような個人レベルのようなモノでも成立すると思えるが、実際はそうではないコトが多い。生き甲斐は個人のモノであっても、社会と強く関連していることが多いのだ。このことが良い方向に行けば問題はないが、人は恣意性を持つ存在なので、個人レベルでの生き甲斐でもって社会のシステムまでも壊してしまうことも出来てしまう。

　ヒットラーやプーチンの生き甲斐はそれに当たると言えないだろうか。彼等は己の目指す生き甲斐である観念の成就のためにならら何をしても構わないとして、多くの国民まで巻き込んでしまったからだ。

こうなると、生き甲斐は大きな問題を含んでいることになる。確かにささやかな個人的な希望を満たすことを生き甲斐にするのなら、何も問題は起きないが、今迄に述べてきたように、生き甲斐を強く推し進めて、それを持続させるには、社会との定位の関係を調整したりして、しっかりした形でそれに向けての己の格率を確立させられれば、何事もなく行ける。しかし社会との定位を無視して続けるならば、こうしたプーチンのような厄介な問題も起きるのだ。

別の言い方をするなら、プーチンはこうした生き甲斐を自国の中で定位の形で実践出来たことから無謀な侵略まで突き進んだのであって、こうした複雑な部分を人は持っている。逆に言えばこうした独裁者を例外とすれば、社会との定位をしっかりせずに、また己の格率も曖昧なモノであるなら、人は何も出来ない。現代社会は複雑化していることから、こうした複雑化した社会での定位は難しくなっている。大方は世間的な慣習や常識に従っているだけになって、その生き甲斐は小さく固まっているように見える。

確かに明治時代のように、大きな目標に向かっての生き甲斐を得ようとするのとは違い、現代のようなシステム化された社会で生き甲斐を確立するのはとても難しい。でも出来ないと言っていては、ただ時代の流れに流されるだけになる。いつでもチャレンジ精神を持って進もうとしない限り、激しい社会の変化の中で何処に向かって行っていいのか分からなくなるだけになってしまう。

こうした迷いが生じた時に思い出して欲しいのが、この「定位」と「格率」と「生き甲斐」ではないだろうか。いくら社会が変わっても、この定位をし直せば何とかなることもあるからだ。無論、改めてやり直しをするのが困難なのは重々承知で言っているが、でも何もしなければ、ただ流されるだけになるのではないだろうか。

国のあり方

これは国のレベルでも同様である。国際間で日本をどのように定位するかをしっかりと考えないと、観念論になってしまう。無論、定位だけを考えるならば、単なる国同士のバランスだけの問題に矮小化してしまうので、そこには国としての格率である政策があって、どう国民と共に生きていくかをしっかりと考える必要がある。その上、国際上での遣り甲斐がないと、これも続けられないだろう。

例えば、現代では普遍的理念である人権や人々の自由や平等の尊重を建前に掲げて世界に打って出ることが要請されるわけだが、個人の問題とは違って、国家は大勢の国民の意見を纏(まと)めなくてはならない。とても難しいことでもあるが、これをしないと日本は埋没してしまう危険性に現在も直面している。それを「やりようがない」と考えてしまって放棄してきたのが、この三十年の停滞ではないだろうか。

無論、それ以前もそんなに考えてはいなかったかもしれないが、自由主義対共産主義というイデオロギー対立からの危機的な状況の中にあったにせよ、妙な政治的なバランスが取れていたおかげもあって国際的な流動性はそれほど激しいことはなかった。そのせいで日本も何とか乗り切れてきたが、今はそうしたイデオロギー的なバランスはなくなった。これからまた新しい理論が出て来るかもしれないが、それまではこうした普遍的な理念を掲げながらも実質的には現実路線で行かねばならないだろう。これは単なる国際的なバランスを重要視するだけでない。この流動性のある現実世界の中での日本の定位やこれからの政策を常に考えて行かなくてはならないということだ。逆にこれを単なる抽象的で観念的なモノや孤立した一国平和主義でやろうとすると、現実とは離れてとても危ういものになるであろう。

今迄に述べてきた定位とか格率とか生き甲斐は観念的な概念を含むものの、現実に則して決めないと機能しないのは、政策であっても個人レベルと何も変わりはしないのだ。

歴史的な定位の状況

こうした国家における定位と格率の重要性は、歴史的に見てみればとてもハッキリしている。身近な例でいうと太平洋戦争では、明らかに日本の国際的な定位のあり方を間違えてしまっていた。明治時代もそうであって、日本がどのように生きるかの政策を決める際に富国強兵の目標のみに向かったのが太平洋戦争の要因になったのは明らかであろう。無論、明治時代ではこれ以外の生き方は出来なかったかもしれないが、現実に富国強兵を成し遂げた後、そこには慢心が出たのではないのか。

現代においても同じことだ。日本は敗戦に打ちのめされたものの、一九七〇年代後半から八〇年代にかけて発展して、世界に覇を唱えるだけの力を持つに至った。だが、そこに慢心が出て、世界との定位や普遍的理念からくる人類の生き甲斐についてはあまり考慮せずにきてしまったのではないか。国の政策にしても、民間企業にしても、新しいことへのチャレンジをしなくなった。自惚れがあった故か、己の企業の世界の中での定位である立ち位置の考慮をあまりせずに、チャレンジすることに消極的になっていた部分が大きいだろう。要は世界の中で己の企業がどうあるべきかの定位を怠っただけでなく、将来への投資を怠って新しい分野への開拓をしなくなったのがあるのではないのか。それをプラザ合意とかバブルが弾けたとかの外部要因のせいにしていたのだ。外部要因にしてしまえば、己の企業のせいではないので、この状況が収まるまでジッと待てば上手く行くと考えて、あまりチャレンジをしなくなったのだろう。

これから分かるのは、定位をするというのは、己の企業の位置が世界のどこらにあって、そこからどう変化していくかを見極めることになる。当然のこと、危機感を持つことが大切になる。しかしこの定位を曖昧にしておけば、このまま続けていれば何とかなる、大丈夫という風に考えてしまう。ところが、何度も述べてきたように、人の社会は人工的に作った社会の上に恣意性から出来上がっている。一つの場所に安定して留まるということはあり得ない。いつでも動いていると言うと、何と大袈裟なコトと思われるかもしれないが、恣意的に動いていて、システムも時に変わっていくので、不安定性とは切っても切れないのが人の社会なのだ。

こうした状況の中で暮らしていることを根本に置かないと、ちょっと上手く行くと、それがずっと続くと思ってしまう。しかしこれはあり得ない。ギリシャ時代の初期の哲学者ヘラクレイトスは「万物は流転する」と言ったが、この万物の中でも、人の社会は特に流動的なのだ。これは自然摂理よりもずっと不安定だからで、これをどのようにして認識して補い生き抜いて行くのかの一つの目安が定位であり、将来への企画なのだ。しかも常に検証して、これが正しいかどうかとか、事実と乖離してないかどうかを確かめて行かないと、いつの間にか世界とは離れてしまい、その陳腐化した中で暮らすことになる。

残念ながら、安定して上手く行く方法などない。いつでも考えに考えて、定位をし直して、それから企画も新しく作り直して行かないと生きて行けない。現代ではAIやIT領域でイノベーションが次々と現れて、これが大きな影響を与えて社会を大きく変化させている。

ある種の激動の時代に入っていると言えよう。これに加えて、プーチンや習近平やトランプのように、恣意的にやりたいようにするリーダーが出て来て、世界を混迷させている。

しかし日本人はこうしたことに敏感でなく、今の今が良ければ、また平和であれば、これがずっと続くと考えていないだろうか。

　こうした大きな変化やこれがもたらす世界への影響を考慮に入れた将来への企画を考えて行かないと大変なことになりかねない。経済のＧＤＰの大きさにしても、中国に抜かれ、ドイツにも抜かれて、ついに四位にまで落ちた。こうした世界での日本の定位への取り組み方の何処がおかしいのかを考えなくてはならない時期にきているのだろう。要は、こうした定位をしなかったり、企画を曖昧にしてきたから遣り甲斐もなくなって、この停滞の三十年と言われる状況が現出したのではないだろうか。

　これから分かるのは、人や人の社会ではいつでも国際的な定位をして、国にとって人の格率と同じような意味を持つ政策について熟考し、生き甲斐がある日本として国が成立しているかどうかを検討し続けるのが必要不可欠だということだ。でも、難しいのはそうした評価を何もしなくてもここまで豊かになった日本では何とかなると誰もが思いがちだからで、改革をし続けることは日本にとってつねに困難をきわめる営為である。

生き甲斐を持続する難しさ

ここで個人の話題に戻って、再び「生き甲斐」について考えたい。

いくら何かを生き甲斐にしていたとしても、それをずっと持ち続けるというのは難しい。その一つの理由は、生き甲斐を成し遂げるためには様々な困難に直面するからで、例えばプロ野球選手としてやって行くには、たゆまない努力を必要とする。いくら才能があったとしても、努力をし続ける精神性を持っていなければ、その内に無理になってしまうということだ。

とは言え、ここにとんでもない人が現れた。大谷翔平選手である。メジャーリーグでも最高の評価をされていて、アメリカでもこの星の人でない異星人とも呼ばれている。しかしここまで来るには大変な努力があったであろうし、それをしてきたから異星人とすら言われるのであろう。それを裏付けるのが、同僚達の言葉である。彼等は口を揃えて、「凄い努力をしている」と言う。毎日の彼がしているトレーニングが半端でないからだ。半端でないというのは、トレーニングの内容自体も大変なのに、それを持続的に長期に亘って し続けているということを指している。

彼がそうした訓練の格率をどのようにして作っているのかと言えば、野球をするためには毎日がどうあるべきかから導き出されたトレーニングをすることだという。普通の野球人ではとても耐えられないのだろうが、それだけでない。必ず試合の二時間前には球場入りして、入念にトレーニングに励んでいる。その一部が垣間見られるのが試合が始まる前である。球場の壁に向かって、一心にボールを投げては、返ってくる球を拾ってまた投げるという姿がテレビでも見ることが出来る。多分、体幹に関わる強度を彼は身に付けようとしているだけでなく、その持続を大切だと考えて、このような毎日のボール投げという単純なトレーニングを自分に課しているのだろう。

理屈では分かっていても、それを毎日のようにし続けることは簡単ではない。しかも大袈裟なことをしているわけでなくて誰でもが出来ることをしているだけなのだ。それを己に必要なトレーニングだと信じて、継続的に必ず自分に課している。これを毎日続けるのは本当に難しい。この難しいコトを毎日しているからこそ、今の凄い大谷選手が出来上がっていると言われる。

そうしたトレーニングをし続けるのがどうして必要なのかの理屈を作ったり、それが大切だと考えることは誰にでも出来る。しかしこれを続けるには、よほどその必要性をしっかりと納得していないと出来ない。逆に、今日はやめたという言い訳は、幾らでも出来る。体が怠いからとか、試合が続いて疲れが溜まっているとか、体調が思わしくないとか、やめる理由なら幾らでも作れるからだ。

ところが、彼はそれを毎日のようにし続ける。多分、そこには同僚も言っているように、野球が好きでたまらないとか、楽しくてとても休んでいられないといった「生き甲斐」がある。また野球が出来なくなる脅威の方が遥かに怖いといった危機感もあるだろう。だから、他の選手よりもホームランを沢山に打てるにはどうしたらいいのかを考え続けることで、こうしたトレーニングの計画を立てることが出来るのだ。

確かに誰にでも計画は立てられる。しかしそれを実行し続けるのは難しい。もともと体力では劣ると言われる日本人であるのに、考えられない体力をつけて、遠くへボールを飛ばすことが出来るのはこうしたトレーニングがあるからだろう。しかも体力をつけるだけでない。技術面でも同じであって、そのための計画と訓練を彼はし続けている。無論、それには様々なトレーニング理論やマシンや多方面からの解析を尊重して、それらを総動員して、どうしたら今以上に出来るのかを様々に試していることだろう。こうして努力し続けているからこそ、大谷選手は並みの選手でなくなった。それだからか、努力をする彼を知っている同僚達は皆、彼が凄いのは当然であって、驚くことではないと言うわけだ。

「努力を継続できる大谷選手」については、単に野球小僧のように野球が好きでたまらないのでし続けられるという指摘も出来よう。だが、こうした「好きでたまらない」レベルの選手ならかなりいるとも言える。では、なぜ彼だけが突出していて、ここまでし続けられるのだろうか。それには好きでやっていて楽しいからというのが基礎にあるにしても、ここまで述べてきたように、好きなことを継続する際に遭遇する様々な困難を克服してきた処にこそ、その秘密がないだろうか。事実、松井秀喜選手は大谷選手と自分を比較して言っている。「私は志が低かった」、と。これからすると、松井選手のような大選手でさえも届かないような高い志を大谷選手は持っていたから、あの成功を収められたと言えよう。

志が高いだけではない。もう一つ重要なのは、彼が常に周りとの定位での気配りをしていることだ。というのも、バッターボックスに入る時に審判に挨拶しているし、ダッグアウトでは同僚達とコミュニケーションを取ることを怠っていない。いつでも周りとの定位への気遣いをしていて、確執が起きないよう心がけている。

また社会との定位にしても、球場では落ちているゴミを拾って己のポケットに入れるといった行為をさりげなくしている。この行為などは多くの観客が目にしていて、彼と社会との定位が上手く行っている証拠にもなっている。だから、彼の悪口を言う人は殆どいない。殆どいないというのは、社会との定位がしっかりしていて、揺るぎないことを示しているのだ。

実はこれはとても肝心なことである。というのも、後慮の憂いなく野球に没頭出来るからだ。それを実践し続けているというのはとても有利であって、そのことが彼の精神を安定させているのだ。大体はここまで有名になってしまうと、驕りが出て来て、社会との関係である定位に気配りしなくなり、様々な問題を起こすのが普通なのだ。ここにこそ、大谷選手が安定して野球に打ち込めている要因があるのではないだろうか。

こうしたコトは他の領域でも同様のことが言える。だからこそ、中々、優れた天才という人が出て来られないのだろう。大体は打ち込めば打ち込むほどに自己中心的になるのが普通だからだ。つまり、打ち込むというのは、他を無視するということに繋がる。また無視すれば他者や社会からそれ相応の仕返しを喰らう。結局は、他者や社会との定位を作るのに失敗しているせいで、孤立してしまうのだ。

無論、孤立しても何とも思わない。私はそれだけに打ち込んでいるからいいのだとも言えるだろうし、それはそれで何とか成立するケースがあるのもまた事実だ。このような人は他者や社会からは評価されないので、究極のオタクと言ってもいいだろう。こういう生き方もあり得るのが、人の社会であって、現代では豊かになったおかげでそこまで社会との定位がなくても、何とか暮らして行けることもあるということだ。

ただ、一般的にはこうした生き方をし続けるのは難しい。というのも、いくら人が恣意性を持つ存在であって、したいようにする生き物だといっても、一人では暮らして行けない。人である限り、社会の中の一員であって、これを無視することは出来ない。ということは、生き方を決めて実行するにしても、こうした社会との定位を無視していたら、問題が起きてしまうということだ。すなわち、いくら何かに打ち込んでいるとしても、何らかの形で社会との定位ははかる必要があると言える。

いずれにしても、しっかりした格率を持つ人はいても、その中でも大谷選手程に格率に加えて定位や生き甲斐に真摯に向き合っていて、それにはどうしたらいいのかを実践している人はいないだろう。だからこそ、栗山監督が言うように、彼はこうした野球を続けることに生き甲斐を見出していて、苦しいとか困難だとかとは違う領域にいて、己が進歩することに全てを捧げている。そうして他の選手がどうやっても不可能と思われることをいとも簡単に成し遂げているのだ。

究極の生き甲斐

これが私の生き甲斐だと言うのは簡単である。しかし大谷選手の例でも明らかなように、己の生き甲斐を他の皆が認めて凄いというレベルまで持って行く人は稀である。世の中にはそうした人がいるのも間違いないだろう。例えばエベレスト登頂にしても、最初に登ろうとチャレンジをした人はかなりいるが、当時は簡易な酸素吸入器もないので、それを成し遂げるのが難しかった。このレベルになると、綿密な計画や知識、多くの登山経験といったものがどうしても必須になるからで、それじゃあ、一つ登ってみようかという軽い気持ちでやったなら、たちまち失敗してしまう。

それにそんな無茶なことをするのはどうかしているということから、あいつは奇人だとか狂っているとか言われる。そう言われても、チャレンジし続けないと上手く出来ないから厄介だ。無茶を通してチャレンジを続けるには、大変な問題解決への努力を必要とする。無論、世俗的な意味でもお金がかかるので、スポンサーを付けなくては成り立たない。そこでそうした営業活動もこなして行かなくてはならない。難問が山積みしていることから、そこまでしてやる意義があるのかと考えてしまうのがごく一般的な反応になる。

だからこそ、何ゆえ危険を冒してまで登ろうとするのかと問われれば、答えたくても答えようがない。ここまで来ると、いくら生き甲斐があるとしても、命を賭けてまで挑戦することに何の意味があるのかと言われてしまうが、それでもしようとするのは、そこに究極の生き甲斐を感じるからで、「そこに山があるから」とジョージ・マロリーのように答えるしかなくなる。そこまでの境地に至った時に初めて、真の意味での生き甲斐を伴った登山家になったと言えるだろう。

これは基礎科学の研究者にもあてはまる。あまり地位に恵まれずにいて成果も出せずにいたら暮らして行けなくなる。生活に困難が生じるからで、ある研究者の記事によると、彼が上手く成功したのは幸いにもそうした生活を支えてくれる恵まれた連れ合いに出会えたからだという。そもそも、上司の教授からは研究をし続けるには早く暮らしの面倒を見てくれるような連れ合いを見つけろと言われていたそうで、このあたりも、研究者の事情を象徴している。そうした連れ合いがもし見つかれば、一心不乱に研究に打ち込めるというわけだ。でも、他者から見たら、そこまでして研究を続ける必要があるのかと言われるかもしれない。それに夫を上手く補助してくれる連れ合いを見付けること自体、至難の業なので、既述のように政府の援助が要請されている。

いずれにしても、こうした研究というのは、それをし続けるのが生き甲斐になっていなければ成り立たない領域でもある。というのも、新しい発見や発明は簡単に出来るものではないが、その一方で、いくら上手く行かなくても、その研究に生き甲斐を見出せてさえいればいつまでも続けられるものだからだ。とは言え、こうした究極の研究を生き甲斐に出来たというのは、実は後付けの理屈であって、そこまでの苦闘が半端ではない。だから、大体は中途で諦めて止めてしまう。それぐらいに難しいのは事実であろう。

ノーベル賞を貰った科学者たちは、そうした苦難の中でも諦めずに続けたので偶然の成功を呼び込めたのだとよく口にする。失敗しても一途に持続していたからこそたまさかの成功を勝ち得たのであって、研究し続けていなければ偶然もあり得ないと。こうした言い方をすると、我慢強さがその人に研究を続けさせたと考えがちだが、その前提としてはまず暮らしが成り立って、社会的な承認が得られていることが必要となる。これらが何もなければ研究を持続するのも難しくなるからこそ、国の援助も必要となる。ただし、限られた予算を誰に与えるのかは客観的評価が要請されるので難しい判断が必要だ。その点、ノーベル賞の選考は様々な国のその道の研究者からの推挙がまずあって、それをまた様々な形で審議しているからこそ、世界から評価されているのだろう。

このように研究助成には難しさがある上に評価にかける時間もないので、ノーベル賞の選考のような込み入った客観的評価は出来ない。またこれを根拠に国が助成に消極的になっているきらいもある。ともあれ、新しい研究を志している者にはなるべく多くの助成を行うしかないだろう。というのも、いくら研究の成功の確率が少なくても、研究し続ける以外には成功は覚束ないからだ。結局のところ、なるべく一生懸命に研究する研究者の多くに助成金を渡すしか他に基礎科学の分野で成功を収める方法はないのだ。いくら成功の確率が低くても若い研究者が希望を持って研究し続ければいつかは成果が得られる、その中の一つでも成功すれば儲けものだ、といった賭けをするしか他に良い方法はない。

ここに難しさがある。国家には学術関連の予算がそんなに潤沢にはないからだ。現在でもかなりの予算は付いていているとも言われるが、最近はそれが大きく削られることが頻繁にあって問題視されている。これには基礎科学と政治との関係性の変化が背景にあるだろう。また工学系では軍事関連との問題もあって、これと関わると面倒くさいというので避けられる傾向があると言われる。それでこの実践的な領域でも助成金が狭くなってしまっているというのだ。本来ここでの問題はイノベーションに関するもののはずだが、そこに政治性が関わるので問題が生じる。

しかし軍事と関わっていては駄目だというのもまた、おかしな言いぐさだ。というのも、学術会議のメンバーの中には中国との関わりを持ち、援助されている研究者もいると言われる。このように軍事に転用される恐れがある分野に携わる研究者であっても、日本における軍事利用にさえ関連がなければ関心を呼ばず、その成果が中国の軍事に使われてしまっていても何も言われない。中国に対しては何も言わずに、日本国内に限って問題視されるというのは矛盾していないだろうか。

確かに核反応の分野では原爆が発明されて、世界は大きな問題を抱えてしまったが、もっとも重大なのは後の利用の問題であって、研究者自身に問題の全ての責任を押し付けようとするのは短絡的ではないのか。当時は世界大戦がまさに始まらんとする時期で、危急の発明を促進する政治的要請があったことから原爆は生まれたとも言われるが、この歴史的な経緯に関しても今では多くの人がすでに知っているはずだ。注意して各国が危機意識と共有すれば原爆の問題もいつかは解決の糸口を見つけられる日が来るかもしれない。

人の社会では、常に新しいことを志向せざるを得ない。そうして行かないと上手く行かないように出来ている。人工的なシステムなので不安定さは付いて回るからだ。そのせいもあってか、新しいコトを生み出そうとして、どの国も躍起になっている。このように、精神性を含む生き甲斐を持てているからこそ、イノベーションが生み出されてきた一方で、新たな原爆のような危機を生むという皮肉なコトが起きた。そこで日本ではそれを恐れるあまりに、軍事に関係しない研究をするのが良い研究者であると考えられているのだ。しかし研究に色は付いていない。それを使う時に色が付くのであって、それを研究段階から色を付けて予算を付けないというのはいささかどうかしていないだろうか。

ここまで言ってきたように、人は自然摂理に従うのとは違う形の社会を作った。ということは、人の社会はもともと不安定さとは切っても切れないシステムなのだ。しかもイノベーションがたえず起きては社会を変動させる。それに対応して新たなシステムを作らないと、国としてはやって行けなくなる。これをどう取り入れるかが問題であって、それを素早く成し遂げないと国にガタがくるのはこの三十年の停滞を見れば、誰でも分かるはずだ。なのに、本性が恣意性で出来ている人間は一旦、豊かになるとこれでいいと安心してしまう。よく言われるのは、上手く行っている時こそが、一番の危機であると。上手く行っているとそこに安心感が出てそれ以上を望まなくなるからだ。危機の時こそが人の社会を発展させてきたことは歴史が示している。

ところが、人はこれをするのが苦手なのだ。例えば金持ちになったとすると、これがずっと続くと思えてしまい、このまま行ければいいと考えるのが一般的なのだ。

なぜにそうなるのか。

豊かになると安心感が出て、いつもやっていた世の中との定位をしなくなるからだろう。もちろん、己の生き方である格率もこれで良いとしてしまって、そのままで大丈夫と思ってしまう。しかしこれまで述べてきたように、人の社会で安定性があるというのはあり得ないことなのだ。

人は他の生き物と違って、自然の摂理に従うことから部分的にせよ離脱して人独自の人の社会を作り上げた。これはこれで素晴らしいことだが、この社会は自然の影響も受けるし、常に変化して行かないとやって行けない社会である。今は地球上で人が威張ってのさばっているが、一億七千万年も生き延びた恐竜と比較すれば高々、七百万年ぐらいでしかない。とても威張れたモノではない上に、不安定な要素を幾らでも持っているのだ。

このように人が恣意性から出て発展したものの、人の社会は不安定であって、それを根底に置かないといつでも人類は滅亡してしまうだろう。日本の場合、四海に囲まれてこれまでは何とか安定性を保ってきたが、周囲隣国を見ればそれがどんなに危ういものかは明白である。もっと日本の状況と人のこれまでのあり方を考慮に入れて賢明な道を模索して行く必要がある。この小論が何かの手助けになれば、これ以上の幸せはない。

◎参考文献

橋爪大三郎・大澤真幸　『おどろきのウクライナ』（集英社新書）　集英社
黒川祐次　『物語ウクライナの歴史』（中公新書）　中央公論新社
老子　『老子』（岩波文庫）　岩波書店
渡辺尚志　『百姓の力―江戸時代から見える日本』　柏書房
渡辺尚志　『近世百姓の底力―村からみた江戸時代（日本歴史私の最新講義）』　敬文舎
スーザン・B・ハンレー　『江戸時代の遺産―庶民の生活文化』　中央公論社
ユクスキュル／クリサート　『生物から見た世界』（岩波文庫）　岩波書店
日高 敏隆　『昆虫学ってなに？』　青土社
カント　『純粋理性批判』（岩波文庫）　岩波書店
コンラート・ローレンツ　『ソロモンの指環―動物行動学入門』（ハヤカワ文庫）　早川書房
ティモシー・スナイダー　『暴政―20世紀の歴史に学ぶ20のレッスン』　慶應義塾大学出版会
ウィトゲンシュタイン　『論理哲学論考』（岩波文庫）　岩波書店
ハイデガー　『存在と時間　上下』（岩波文庫）　岩波書店
東谷篤志　『ヒューマニエンス　40億年のたくらみ　宇宙体験　私たちの〝次なる章（チャプター）〟がはじまる』

参考文献

NHKオンデマンド

野口聡一・矢野顕子・林公代『宇宙に行くことは地球を知ること「宇宙新時代」を生きる』（光文社新書）光文社

和田秀樹『60歳からはやりたい放題』（扶桑社新書）扶桑社

和田秀樹『医者という病』（扶桑社新書）扶桑社

林建良『日本よ、こんな中国とつきあえるか』並木書房

林建良・藤井厳喜『台湾を知ると世界が見える』ダイレクト出版

ホイジンガ『ホモ・ルーデンス』中公文庫プレミアム　中央公論新社

河合雅雄『人間の由来・上［改訂版］』小学館

スティーヴン・オッペンハイマー『人類の足跡10万年全史』草思社

神津朝夫『茶の湯の歴史』（角川ソフィア文庫）角川書店

井原西鶴『好色一代男』（岩波文庫）岩波書店

井原西鶴『好色一代女』（岩波文庫）岩波書店

カント『判断力批判　上下』（岩波文庫）岩波書店

四方一偈（よも・いっけい）

1942年静岡県生まれ。静岡大学を卒業後、京都大学文学部卒業。高校教師を務めたのち、小倉庫業を起業。経営のかたわら、40年以上ドイツ語の哲学原書講読会を主宰。主な著書に『エゴ メタボリック―「自己中」的無責任への警鐘』（万葉舎）、『奇才はそばにいた！―中卒で35の特許をとった鈴木君の物語』（西田書店）、『停滞打破のための哲学的考察』（講談社エディトリアル）、『恣意性の哲学』（扶桑社新書）など

扶桑社新書　500

混迷の世を生き抜くための哲学

発行日 2024年5月1日　初版第1刷発行

著　　者………四方一偈
発 行 者………小池英彦
発 行 所………株式会社 扶桑社
〒105-8070
東京都港区海岸1-2-20 汐留ビルディング
電話　03-5843-8842（編集）
　　　03-5843-8143（メールセンター）
www.fusosha.co.jp

印刷・製本………中央精版印刷株式会社

定価はカバーに表示してあります。

造本には十分注意しておりますが、落丁・乱丁（本のページの抜け落ちや順序の間違い）の場合は、小社メールセンター宛にお送りください。送料は小社負担でお取り替えいたします（古書店で購入したものについては、お取り替えできません）。

なお、本書のコピー、スキャン、デジタル化等の無断複製は著作権法上の例外を除き禁じられています。本書を代行業者等の第三者に依頼してスキャンやデジタル化することは、たとえ個人や家庭内での利用でも著作権法違反です。

© Ikkei Yomo 2024
Printed in Japan　ISBN 978-4-594-09746-2